Cosmopolite 4

Méthode de français **B2**

Cahier d'activités

Émilie Mathieu-Benoit

Anaïs Dorey-Mater

Amélie Lombardini

hachette

FRANÇAIS LANGUE ÉTRANGÈRE

Crédits photographiques et droits de reproduction

Photos de couverture : © Nicolas Piroux (haut) ; © Getty images (bas)

Photos et documents de l'intérieur du manuel :
p. 29 : Les Américains à Paris © Gettyimages ; Rencontre F. Mitterrand et H. Kohl © Keystone-France/GAMMA-RAPHO ;
p. 70 : BD Quino © Joaquín S. Lavado (Quino)/Caminito S. a.s. Literary Agency.
Autres : © Shutterstock

Nous avons fait tout notre possible pour obtenir les autorisations de reproduction des documents publiés dans cet ouvrage. Dans le cas où des omissions ou des erreurs se seraient glissées dans nos références, nous y remédierons dans les éditions à venir.

Remerciements :
Nous remercions Anne Veillon-Leroux pour les activités de phonétique et la transcription phonétique des pages « Lexique » du livret. L'éditeur remercie également Alice Reboul pour sa collaboration sur cet ouvrage.

Couverture : Nicolas Piroux

Conception graphique : Anne-Danielle Naname

Mise en page du cahier et du livret : pca cmb

Suivi éditorial : Françoise Malvezin/Le Souffleur de mots

Enregistrements audio, montage et mixage : Studio Quali'sons (David Hassici)

Maîtrise d'œuvre : Françoise Malvezin

ISBN : 978-2-01-513570-0

© HACHETTE LIVRE, 2019
58, rue Jean Bleuzen, 92178 Vanves
http://www.hachettefle.fr

SOMMAIRE

Le **cahier d'activités** *Cosmopolite 4* vous accompagne tout au long de votre apprentissage et vous permet d'approfondir les **compétences** et les **savoir-faire** acquis en classe selon une approche pédagogique actionnelle. Vous pourrez l'utiliser de manière autonome grâce aux exemples, au **CD audio** et au livret des **corrigés et transcriptions**.

Cet ouvrage propose douze pages d'activités par dossier, en trois temps :

• **Nous nous évaluons** : à partir d'un **document sonore ou écrit**, vous pourrez évaluer votre progression et votre maîtrise des notions vues en classe, sur 20 points.

• **Nous pratiquons** : toujours en contexte, vous reprendrez de manière systématique les **focus langue grammaire**, **mots et expressions**, **phonétique** de chaque leçon.

• **Nous agissons** : résolument actionnelle, cette dernière partie vous propose des **stratégies d'apprentissage** pour l'oral et l'écrit ; vous y trouverez également une **activité de production** orale ou écrite en lien avec la stratégie proposée ou avec la thématique des leçons. Une **question ouverte** sur la langue et la culture vous est également proposée.

Les bilans scénarisés, le portfolio et l'épreuve DELF vous permettront d'évaluer votre apprentissage.

Avec le **cahier d'activités de *Cosmopolite 4***, renforcez et pratiquez votre français en France et ailleurs, pour communiquer et agir en autonomie dans les situations de la vie quotidienne.

Bonne pratique !

Les auteurs

DOSSIER **1**   > Leçons **1** et **2**

Nous nous évaluons

> Découvrir un phénomène de mode et analyser notre rapport à la mode et aux vêtements

1. Lisez l'article d'un magazine. Faites les activités. Vérifiez votre score p. 1 du livret.

---

http://www.info.fr

Mode de vie

Le marché de l'occasion ayant fait ses preuves, voilà que celui de la location de vêtements et accessoires de luxe est en plein boom. Ce nouveau mode de consommation faisant fureur outre-Atlantique va-t-il enfin séduire la France ? Yann Le Floc'h, le fondateur du site InstantLuxe.com, n'en doute pas et pense que cette tendance devrait s'installer.

Cet ambassadeur de la démocratisation des produits de luxe – dont le site revendique près d'un million de membres – propose depuis peu un service de location de sacs. *« La location de maroquinerie est rentrée dans les mœurs aux États-Unis. Je pensais que ce succès était la conséquence de la crise. Pas du tout, les études révèlent que les clientes sont pour la plupart aisées et préfèrent louer le dernier sac en vogue et le rendre pour en changer, plutôt que d'avoir à les entasser dans un dressing »*, déclare l'entrepreneur français. Le gain de place est ainsi la première raison invoquée par ces cendrillons des temps modernes. *« Nous démarrons avec une vingtaine de modèles emblématiques, à partir de 10 euros par jour et avec un minimum de quatre jours de location. »* Un prix séduisant auquel s'ajoutent 20 euros pour l'assurance et le transport, pour recevoir chez soi (puis renvoyer) son sac Dior, Chanel, Céline ou Yves Saint Laurent.

Pour les grandes occasions aussi, la location peut être une solution pour limiter les coûts tout en s'offrant une belle pièce pour le jour J. *Graine de coton* est spécialisée dans les robes de mariées. La boutique accueille les futures épouses sur rendez-vous. En vitrine ? Des robes chics signées Lanvin, Rime Arodaky, Celestina Agistino, Jenny Packham à louer pour quelques centaines d'euros. Et pour le quotidien, on se tourne vers l'Habibliothèque. Disposant d'un catalogue de plus de 2 500 pièces, plutôt branchées et dernier cri, l'Habibliothèque apparaît comme le Netflix de la mode. Ce site propose de renouveler en permanence son dressing avec des fringues de créateurs à prix accessible. En pratique, pour 149 euros par mois, la maison permet d'emprunter des pièces pour une durée illimitée. Une offre qui attire une génération Y friande de nouveautés et habituée à consommer sans posséder.

---

a. Choisissez un titre pour l'article. Cochez.

☐ 1. Renouveler sa garde-robe en dépensant peu

☐ 2. L'essor des vêtements et accessoires de luxe à louer

☐ 3. Le succès de l'occasion

b. Vrai ou faux ? Répondez et justifiez avec un extrait de l'article.

1. Yann Le Floc'h est confiant sur l'avenir de la location de vêtements en France.   ☐ Vrai   ☐ Faux

Justifiez : ....

2. Les Américains ne sont pas habitués à louer des sacs.   ☐ Vrai   ☐ Faux

Justifiez : ....

3. *Graine de coton* propose des pièces haut de gamme.   ☐ Vrai   ☐ Faux

Justifiez : ....

4. L'Habibliothèque est spécialisé dans le vintage.   ☐ Vrai   ☐ Faux

Justifiez : ....

5. L'Habibliothèque propose des vêtements de créateurs.   ☐ Vrai   ☐ Faux

Justifiez : ....

c. Quelles sont les raisons de cette nouvelle tendance ? Cochez.

☐ 1. Économiser de l'argent.

☐ 3. Une conséquence de la crise économique.

☐ 2. Économiser de l'espace.

☐ 4. La mode de l'économie de partage.

d. Trouvez les phrases ou expressions de même sens dans l'article.

1. Le marché de l'occasion a eu du succès avant celui de la location de vêtements et accessoires : ....

....

2. qui a un énorme succès aux États-Unis : ....

3. et s'offrir en même temps une belle tenue : ....

4. qui adore le changement : ....

Mon score ...... /10

Découvrir un mode de consommation alimentaire

2. Écoutez l'émission de radio. Faites les activités. Vérifiez votre score p. 1 du livret.

a. 🎧▶002 Écoutez la première partie de l'émission. Cochez les modes alimentaires dont parle le journaliste.

❶   **❷**   **❸**   **❹**

☐   ☐   ☐   ☐

b. 🎧▶003 Écoutez la deuxième partie de l'émission. Complétez la fiche informative du régime alimentaire.

Comment s'appelle-t-il ?...

D'où vient-il ? ....

En quoi consiste-t-il ? ....

Quels seraient les bienfaits ? ....

Qui sont les principaux adeptes ? ....

c. Qui donne les arguments suivants : un opposant (O) ou un défenseur (D) du régime ? Cochez.

1. C'est une illusion de penser qu'on peut guérir une maladie avec ce type de régime.   ☐ O   ☐ D

2. Les propriétés énergétiques diminuent quand on fait cuire un aliment.   ☐ O   ☐ D

3. La cuisson apporte certains bienfaits.   ☐ O   ☐ D

4. On peut lutter contre le cancer.   ☐ O   ☐ D

5. Ça augmente les capacités physiques.   ☐ O   ☐ D

d. Expliquez le jeu de mots du journaliste : « Plongée au cœur d'un régime dernier cru ».

....

....

....

Mon score ...... /10

Le participe présent et l'adjectif verbal pour caractériser

3. Lisez l'article du blog. Entourez en bleu les participes présents, en rouge les adjectifs verbaux et en vert le gérondif.

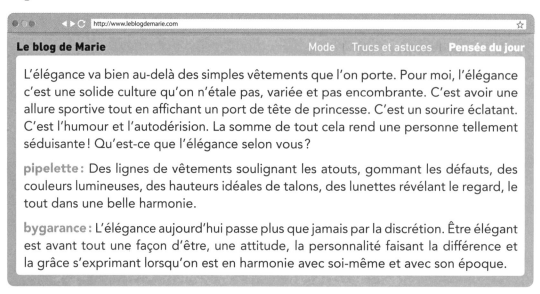

http://www.leblogdemarie.com

Le blog de Marie   Mode | Trucs et astuces | **Pensée du jour**

L'élégance va bien au-delà des simples vêtements que l'on porte. Pour moi, l'élégance c'est une solide culture qu'on n'étale pas, variée et pas encombrante. C'est avoir une allure sportive tout en affichant un port de tête de princesse. C'est un sourire éclatant. C'est l'humour et l'autodérision. La somme de tout cela rend une personne tellement séduisante ! Qu'est-ce que l'élégance selon vous ?

pipelette : Des lignes de vêtements soulignant les atouts, gommant les défauts, des couleurs lumineuses, des hauteurs idéales de talons, des lunettes révélant le regard, le tout dans une belle harmonie.

bygarance : L'élégance aujourd'hui passe plus que jamais par la discrétion. Être élégant est avant tout une façon d'être, une attitude, la personnalité faisant la différence et la grâce s'exprimant lorsqu'on est en harmonie avec soi-même et avec son époque.

Le participe composé pour exprimer l'antériorité

4. Complétez ces fausses informations avec le participe composé des verbes suivants :

adopter – consommer – passer – s'offrir – porter – devenir – inscrire

1. La mode hipster ...., les barbiers se retrouvent au chômage.

2. .... un sac Hermès, elle cesse de payer son loyer.

3. .... entièrement végétarienne, la France offre des reconversions professionnelles aux bouchers.

4. Le ministre de la Santé .... un régime vegan, demande à tous les membres du gouvernement de faire de même.

5. Les personnes .... deux fois moins de viande rouge que l'année dernière recevront une prime de 200 euros à Noël.

6. .... de très hauts talons pendant des années, elle subit une opération chirurgicale pour pouvoir poser ses pieds à plat sur le sol.

7. Sa femme l'......................... à un stage de découverte de veganisme pour Noël, il la quitte.

5. 🎧 ▶004 Écoutez les témoignages. Complétez le résumé de l'émission en reformulant les causes. Utilisez le participe présent ou le participe composé.

Pourquoi sont-ils devenus végétariens ?

1. ....,

2. ....,

3. ....,

4. ....,

5. ....,

6. ....,

ils ont arrêté de consommer de la viande.

Le futur antérieur pour exprimer l'antériorité dans le futur

6. **a.** Entourez l'action qui est antérieure à l'autre.

Exemple : *s'offrir une belle paire de chaussures –* recevoir ma prime *(je)*

1. avoir ton salaire – acheter de nouveaux vêtements (tu)

2. ne plus acheter de vêtements et de chaussures en cuir – devenir vegan (nous)

3. trouver un bon tatoueur – se faire tatouer (elle)

4. être en meilleure santé – adopter un régime alimentaire plus sain (vous)

5. acheter des produits sains – trouver un supermarché bio abordable (je)

6. décrocher un poste de cadre – devoir porter des tenues formelles (il)

b. Écrivez des phrases avec les actions de l'activité **6a** en utilisant le futur simple et le futur antérieur.

Exemple : *Je m'offrirai une belle paire de chaussures quand j'aurai reçu ma prime.*

1. ....

2. ....

3. ....

4. ....

5. ....

6. ....

7. **a.** Complétez les prévisions sur les modes de consommation de demain. Conjuguez un verbe au futur simple et l'autre au futur antérieur.

1. Nous .... (réduire) la consommation de viande parce que nous ....

   (prendre) conscience que c'est un enjeu pour la planète.

2. On .... (consommer) les légumes frais, locaux et de saison car les municipalités

   .... (installer) des potagers urbains dans tous les quartiers.

3. Comme la population mondiale .... (augmenter fortement), les insectes et les micro-algues

   .... (envahir) nos assiettes.

4. Les supermarchés .... (vendre) les produits à l'unité ou en vrac parce qu'on

   .... (interdire) tous les emballages inutiles.

5. Les gens ne .... (se déplacer) plus pour faire les courses car les urbanistes

   .... (aménager) des espaces de livraison pour drones dans chaque habitation.

6. L'empreinte digitale .... (remplacer) la carte de fidélité et la carte bancaire car on

   .... (équiper) tous les ordinateurs de terminaux de paiement biométriques.

b. Par deux. À l'oral. Parmi les prévisions de l'activité **7a**, lesquelles vous semblent probables ? Peu probables ? Justifiez.

8. Soulignez la forme correcte et écrivez la suite du texte avec le futur et le futur antérieur.

2120. Je me lèverai / serai levé tôt comme d'habitude, j'avalerai / aurai avalé deux gélules de compléments alimentaires

en guise de petit déjeuner et je prendrai / j'aurai pris une douche à poussières d'eau. Une fois que j'enfilerai / aurai enfilé

ma combinaison connectée et que je mettrai / aurai mis mon casque de réalité virtuelle, je serai / aurai été prêt pour

commencer ma journée. ....

....

....

....

Parler de l'apparence et de la tenue vestimentaire

9. **a.** Écrivez le nom du style sous chaque photo. Choisissez dans la liste suivante :

rock – kawaii – hippie chic – BCBG (bon chic bon genre) – boyfriend – sport chic.

1 ....

2 ....

3 ....

b. Entourez les mots corrects dans les descriptions des photos de l'activité 9a.

1. Vous êtes classique / moderne, élégante et décontractée / apprêtée. Vous portez un pantalon avec une blouse blanche et une paire d'escarpins vernis / vintage aux pieds. Un sac à main Longchamp / un foulard Hermès complète votre tenue.

2. Vous êtes sexy / classique sans le dire. Tout en privilégiant l'esthétique / le confort, votre look est travaillé. Vous êtes inspirée par les années 1970. Un panier / une pochette au bras, une chemise blanche qui laisse voir les épaules, une minijupe / une jupe longue souple unie / à fleurs, une chaîne discrète à la cheville, des sandales à talons / plates : tout y est.

3. Vous vous habillez avec des couleurs sombres / claires de préférence. Vous portez un blouson de moto avec un jean habillé / déchiré. Il ne faut surtout pas que vos vêtements semblent neufs / usés ! Comme bijou / accessoire, vous choisissez un gros sac en cuir / coton noir.

Parler des modes et des régimes alimentaires

10. 🎧▶005 Écoutez les témoignages. Complétez les mots manquants.

1. Berny est _ _ _ _ _ _ _ _ I _N.

2. Lisa a adopté un _ _ _ _ DE _ _ _ 100 % _ _ _ _ _ _ L.

3. Le docteur Dujol indique que certains patients sont _ _ _ _ _ _ _ _ _ _TS ou _ _ _ _ _ _ _ _ U _ S au gluten.

4. Lauren est _ _ _ _ _ _ _ _ _ _ _E.

5. Pour sa famille, Nicolas privilégie les aliments issus de l'_ _ _ _ _ _ _ _ _ R _ biologique cultivés sans produits _ _ I _ _ _ _ _ _.

6. Hinda a son _ _ _ _ _ E_ personnel et elle privilégie les _ _ _ _ _ _ TS courts en achetant des produits de sa _ _ _ _ O_.

11. Barrez l'intrus.

1. régime – mode alimentaire – mode de vie

2. soja – œuf – miel

3. végétalien – végétarien – flexitarien

4. produire – manger – consommer

5. intolérant – résistant – allergique

6. cuir – coton – fourrure

Nous agissons

⟩ Stratégie : Capter l'attention de son public à l'oral

12. Lisez les procédés pour capter l'attention à l'oral.

> 1. Les premières minutes sont fondamentales. Trouvez une bonne accroche en racontant une anecdote, en posant une question, en présentant une statistique récente pour surprendre.
>
> Exemple : *Je vais vous lire une citation. Écoutez : « N'achetez pas juste pour le plaisir de le faire. Je pense que les gens ne devraient pas investir dans la mode, mais investir dans le monde. » Alors, à votre avis, qui a prononcé ces paroles ? Un militant écologiste ? Un anticapitaliste ? Eh bien, non. C'est Vivienne Westwood, la créatrice britannique ! La mode est-elle encore à la mode ? Est-ce la fin de la mode ?*
>
> 2. Faites des phrases courtes, adoptez un vocabulaire clair et précis.
> 3. Parlez de ce que votre public connaît, donnez-lui des exemples concrets.
> 4. Attirez son attention en interpellant votre public par des questions.
>
> Exemples : *« Savez-vous que… ? », « Connaissez-vous… ? », « Pouvez-vous imaginer que… ? », « Avez-vous entendu parler de… ? », « Vous est-il déjà arrivé de… ? »*
>
> 5. Jouez avec la voix, le rythme, l'intonation.
>   Si vous avez naturellement tendance à parler vite, ralentissez le débit !

a. Indiquez le numéro du procédé pour chaque titre.

Adapter son discours	→ Procédé n° ....
Donner du relief à sa présentation	→ Procédé n° ....
Accrocher son public	→ Procédé n° ....
Interpeller son public	→ Procédé n° ....
Être compréhensible de tous	→ Procédé n° ....

b. À l'oral. Présentez votre phrase d'accroche sur le sujet suivant : Demain, tous vegans ?

⟩ Production orale

13. Présentez la tendance décrite dans le documentaire. Utilisez les procédés pour capter l'attention de votre public. Enregistrez-vous.

> **Vu à la télé !**
>
> ### Documentaire Tattoos — Tous tatoués ! (56 min)
>
> En moins de trente ans, le tatouage est passé de l'ombre à la lumière et est devenu un art populaire. En dessinant les contours d'un milieu artistique toujours en pleine mutation, Tattoos nous emmène à la rencontre des principaux acteurs de l'univers du tatouage, ceux qui ont permis sa popularisation. Il propose une réflexion actuelle et nouvelle sur une pratique à la frontière du rituel, de l'œuvre d'art et du phénomène de société.

⟩ Approche interculturelle

14. 🎧 ▶️006 Écoutez la chronique d'une radio française.

   a. Présentez les informations principales de ce vêtement.

   b. Quel vêtement ou accessoire est un symbole fort dans votre pays ? Expliquez son évolution.

   c. Enregistrez votre chronique et partagez-la avec la classe.

DOSSIER **1** > Leçons **3** et **4**

Nous nous évaluons

🔊 Décrire un mode de vacances

1. 🎧▶007 Écoutez une émission de radio. Faites les activités. Vérifiez votre score p. 2 du livret.

a. Lisez l'annonce de l'émission. Soulignez les cinq erreurs et corrigez-les à l'écrit.

Radiomauve.fr

Partir

Partir en novembre, c'est la promesse de faire des économies et d'avoir beaucoup d'animations sur son lieu de vacances, tout en bénéficiant d'une météo toujours clémente. Les couples qui ne travaillent pas sont de plus en plus nombreux à partir à ce moment-là. Cette tendance n'est pourtant pas si nouvelle. En effet, cela fait longtemps que les Italiens et les Espagnols la pratiquent. Notre journaliste explique ce phénomène avec son invité Yvan Bollet, sociologue.

---

1. ....
2. ....
3. ....
4. ....
5. ....

b. Relevez des expressions qui parlent de :

a. l'évolution de cette tendance

1. ....
2. ....

b. l'évolution du moyen-courrier

....

c. Répondez à la question.

Pourquoi les tours opérateurs français sont-ils surpris de trouver des hôtels pleins dans les îles grecques en septembre ?

....
....
....

d. Qu'exprime votre réponse à l'activité **1c** ? Cochez la bonne réponse.

1.☐ Une concession.　　　　2.☐ Une opposition.　　　　3.☐ Une conséquence.

e. L'émission présente le profil des septembristes. À votre tour, présentez le profil des juillettistes (les personnes qui partent en vacances en juillet). Qui sont-ils ? Où et quand partent-ils ? Pourquoi ? Que font-ils ?

Les juillettistes : ....
....
....
....
....

Mon score ..../10

Introduire un texte explicatif

2. Lisez l'introduction d'un article de magazine. Faites les activités. Vérifiez votre score p. 2 du livret.

---

http://www.magazininfo.com

Société

Tendance

Il a entre 25 et 35 ans, a grandi avec Internet, appartient à la génération Y, est né entre 1980 et 2000. Il poursuit ses études ou commence à travailler. Par contre, pour lui, gagner un salaire, c'est surtout avoir plus d'argent de poche pour partir en voyage, où il veut, quand il veut, ou sortir avec ses **amis**. Malgré son âge, il continue à habiter chez papa maman ou en colocation. Son mode de consommation : les bons plans sur Internet. Sa passion ? Les séries télévisées de son adolescence qu'il regarde en streaming et les jeux vidéo en ligne. De toute évidence, il n'est pas pressé de rentrer dans la vie d'adulte. Contrairement à ses parents, il ne sera peut-être jamais propriétaire à cause de la situation économique et ne **fera** probablement pas carrière au sein de la même entreprise.

Autrefois, tout semblait bien clair : il y avait d'un côté le monde des adolescents, de l'autre le monde **des** adultes. Aujourd'hui, la limite est plus floue au point qu'un nouveau mot est né pour traduire **cette** fusion, voire cette confusion, entre l'âge adulte et l'adolescence : c'est l'adulescence… Faut-il s'amuser ou s'inquiéter de l'importance de ce phénomène de société ?

En fait, à travers ce comportement, tout porte à croire que bien que l'adulescent soit un jeune **adulte**, il refuse de s'assumer comme tel. Il affiche même ce refus presque comme une revendication politique dont le slogan serait « refus de grandir » et se réfugie dans une jeunesse éternelle.

---

a. Quelle est la nature de l'introduction ? Cochez la bonne réponse.

1. ☐ Un texte argumentatif.   2. ☐ Un texte explicatif.   3. ☐ Un texte injonctif.

b. Associez chaque paragraphe de l'introduction à sa fonction.

Paragraphe 1 •   • Illustration du sujet par une scène de la vie quotidienne
Paragraphe 2 •   • Premiers éléments de réponse à la problématique
Paragraphe 3 •   • Présentation de la problématique

c. Cochez le titre de l'introduction.

1. ☐ Les adulescents, un phénomène de mode

2. ☐ Les adulescents : adolescents attardés ou adultes régressés ?

3. ☐ Adulescents, il est temps de grandir !

d. Complétez le profil de l'adulescent avec des extraits de l'introduction.

Profil de l'adulescent

Ses contradictions : 1. ....

2. ....

Son rapport à l'argent : ....

....

La différence avec ses parents : ....

....

Sens du mot adulescent : ....

Mon score ...... /10

Exprimer l'opposition et la concession

3. Écrivez une seule phrase avec les éléments proposés. Faites les transformations nécessaires.

1. Des villes du bord de mer souffrent du tourisme. Des bateaux de croisière envahissent leurs ports chaque été. (bien que)

....

....

2. Karina a un certain confort financier. Elle refuse de partir en vacances. (malgré)

....

3. Louise aime partir en vacances en été. Victor préfère la basse saison. (alors que)

....

4. La mode passe. Le style ne se démode jamais. (en revanche)

....

5. Elle se dit écolo. Elle prend des long-courriers à chaque période de vacances ! (pourtant)

....

6. Le vinyle a une très bonne qualité de son. Le CD n'a pas une très bonne qualité de son. (contrairement à)

....

4. Entourez l'expression correcte.

1. Bien que / Même si la France soit un pays très touristique, de nombreux Français n'en connaissent pas les hauts lieux.
2. Les Français préfèrent rester en France pour les vacances tandis que / cependant leurs voisins allemands choisissent de partir à l'étranger.
3. L'heure est à la digitalisation pourtant / alors que le disque vinyle connaît un grand succès auprès des jeunes.
4. Malgré / En revanche leur jeune âge, les nouveaux consommateurs s'intéressent de plus en plus à la culture vintage.
5. Je préfère rester chez moi pendant les vacances contrairement / par contre à toi.
6. Le rétro et le vintage sont très tendance cependant / tandis que ce phénomène ne touche pas toutes les générations.
7. Avant, seuls les sportifs portaient un bas de jogging alors que / toutefois aujourd'hui, il remplace le jean et se porte avec des boots.

5. Lisez les caractéristiques des deux générations. Écrivez six phrases avec des expressions de l'opposition et de la concession.

	Le baby-boomer	Le millennial
Âge	entre 54 et 72 ans	entre 18 et 30 ans
Niveau de vie	a bénéficié de la croissance économique.	a grandi avec la crise économique.
Emploi	a trouvé un emploi facilement. Remarque : il n'était pas forcément qualifié.	doit se former plus longtemps pour espérer trouver un emploi.
Chômage	n'a pas connu le chômage.	connaît ou connaîtra le chômage. Remarque : il est souvent très qualifié.
Logement	propriétaire	locataire ou colocataire

1. ....
2. ....
3. ....
4. ....
5. ....
6. ....

⊃ Les conjonctions pour exprimer un rapport temporel

6. 🎧 ▶008 **Écoutez les phrases. Qu'expriment-elles ? Cochez la bonne réponse.**

	1	2	3	4	5	6
Antériorité						
Simultanéité						
Postériorité						

7. Réécrivez les phrases avec les conjonctions suivantes. Faites les transformations nécessaires.

jusqu'à ce que – dès que – en même temps que – lorsque – après que – au moment où

1. Les juillettistes rentrent de vacances et, au même moment, les aoûtiens partent : c'est le fameux chassé-croisé des vacances d'été !

....

....

2. Je choisis des tenues originales quand je fête le réveillon du jour de l'an avec mes amis.

....

3. Tout en affichant une élégance extérieure et intérieure, le sapeur cherche à produire un effet sur son public.

....

4. Je ne faisais pas beaucoup attention à mon style vestimentaire avant de devenir cadre dans une entreprise française.

....

5. C'est l'ouverture des soldes. Immédiatement, des files gigantesques se forment devant les grands magasins.

....

6. Le début des années 1960 a marqué l'émancipation des femmes. Puis elles ont porté des minijupes et revendiqué leur liberté.

....

....

8. Écrivez des phrases avec les éléments proposés. Attention aux temps et aux modes.

1. Prendre conscience des conséquences négatives sur l'environnement – les gens – après que – limiter les déplacements en avion – ils (temps du futur)

....

....

2. Trouver un vol low-cost – venir te rendre visite – j' – je – dès que (temps du futur)

....

3. Ne jamais partir en vacances au ski – avoir des enfants – jusqu'à ce que – j' – je (temps du passé)

....

....

4. Avant que – voyager dans des régions tropicales – nous – notre médecin – toujours s'assurer de la mise à jour de nos vaccins (temps du présent)

....

....

5. l'avion – décoller – Nicolas – être très stressé – au moment où (temps du passé)

....

Parler des vacances

9. **a.** Entourez douze mots liés aux vacances.

porezaestivantpoutrgfvjhcroisièrejhfhdgdfbalnéairejghgfgrdplagegrdeabnjibronzerazerwxcséjourpm
lkivillégiaturetrdsableqezsaqdestinationapeotuhgvbhôtelieruhrdsxcdétentenuyraapoikjnbaigneréàçbnwx

b. Complétez le dialogue avec dix mots de l'activité **9a.**

– Tu es parti où cet été ?

– À Pula. Une petite station .... familiale en Sardaigne. On y est allés pour la ....

Tu sais, les enfants adorent ça : s'amuser dans le .... , se .... dans la mer…

Et moi j'aime bien .... Le farniente, tu vois… la .... ! Et toi ?

– Nous, on a fait une .... en Méditerranée d'une semaine puis un .... de deux

semaines dans un complexe .... à Majorque. On s'est bien amusés.

– Majorque ! C'est tendance comme .... , dis-moi !

10. Complétez la grille de mots croisés avec les réponses aux définitions.

Horizontalement

1. Séjour de repos dans un lieu de plaisance.

2. Brunir grâce à l'action du soleil sur la peau.

3. Déplacement en avion.

4. Personne qui quitte un pays pour un autre.

5. Relaxation.

6. Fait de passer du temps quelque part.

Verticalement

7. Bain dans la mer, dans un lac ou une rivière
   pour le plaisir.

8. Navigation pratiquée pour le loisir.

9. Voyage touristique effectué en bateau.

10. Personne qui voyage pour son plaisir.

11. Personne qui passe les vacances d'été
    dans une station de villégiature.

Phonétique : Le caractère expressif d'un énoncé

11. 🎧▸009 **a.** Écoutez et indiquez si la phrase est très expressive ou peu expressive. Cochez.

Exemple 1 : « Partir en vacances au bord de la mer, c'est une destination tellement classique ! »

Exemple 2 : « La mode du vintage s'est répandue en quelques années. »

	Ex. 1	Ex. 2	1	2	3	4	5	6
Phrase très expressive	✗							
Phrase peu expressive		✗						

b. Répétez les phrases très expressives et dites quelle(s) syllabe(s) marque(nt) l'expressivité.

Exemple 1 : « Partir en vacances au bord de la mer, c'est une destination **tellement** classique ! »

Nous agissons

🔊 Stratégie : Améliorer sa production écrite

12. a. Lisez les deux versions des phrases. Entourez les différences.

1. Il y a des différences de tarif entre la haute et la basse saison.	→ 1. Il existe des différences de tarif entre la haute et la basse saison.
2. Les gens se retrouvent sur les plages en été.	→ 2. Les touristes se retrouvent sur les plages en été.
3. Je suis contre le tourisme de masse.	→ 3. Je m'oppose au tourisme de masse.
4. Aimant bien les sports nautiques, Lucie a un voilier, un paddle et une planche à voile.	→ 4. Passionnée de sports nautiques, Lucie possède un voilier, un paddle et une planche à voile.
5. Les personnes pour un tourisme responsable disent que cela permet de préserver la nature.	→ 5. Les défenseurs d'un tourisme responsable affirment que cette manière de voyager permet de préserver la nature.

b. Cochez les transformations que vous observez entre les deux versions.

On remplace :

☐ des verbes comme *être, avoir, faire, aimer, dire, penser.* ☐ des adjectifs comme *petit, grand, beau.*

☐ des expressions comme *il y a, c'est, être pour* ou *être contre.* ☐ des noms comme *gens, personnes, choses.*

☐ des adverbes comme *bien, mal, beaucoup.* ☐ des pronoms comme *cela, ceci, ça.*

c. Réécrivez le texte suivant. Faites des transformations pour l'améliorer.

Il y a beaucoup de gens qui viennent passer leurs vacances d'été à Porticcio, c'est populaire.
L'été, il y a 50 000 personnes alors que Porticcio n'a que 3 000 habitants l'hiver.
Le problème, c'est qu'il y a bien plus de déchets à traiter.

....

....

....

🔊 Production écrite

13. Rédigez la présentation de l'émission de télévision. Utilisez les conseils donnés dans l'activité **12** pour améliorer votre production écrite.

> **Vu sur Arte !**
>
> **Reportage**
>
> Tendance rétro : les jeunes fans du passé

🔊 Approche interculturelle

14. Lisez la recette des vacances vintage à la française. Écrivez la recette de vacances vintage de votre pays. Comparez avec la classe.

– Louez une deux chevaux.

– Empruntez la route nationale 7 pour descendre sur la Côte d'Azur.

– Séjournez au camping *L'œil dans le rétro.*

– Plantez votre tente orange et bleu.

– Sortez la table de pique-nique recouverte d'une nappe à carreaux rouges et blancs.

Nous nous intéressons aux modes et tendances

Compréhension écrite

1 Vous lisez cet article dans un quotidien français.

Les régimes «sans», une mode ou un remède?

Sans lait, sans sucre, sans gluten… De plus en plus de personnes choisissent de supprimer un aliment de leur alimentation. Mais sauf intolérance, ces rejets ont-ils un intérêt médical?

Les régimes «sans» sont à la mode: pour certains il s'agit simplement de se sentir mieux, pour d'autres d'écarter des aliments qui seraient mauvais pour la santé. Selon Claude Fischler, sociologue, les individus de nos sociétés développées s'écarteraient de plus en plus des règles portées par la famille, la profession, la religion… *«Mais avec l'autonomie, il faut faire des choix. Vous devenez responsable de votre santé et de votre bien-être.»* Des choix souvent difficiles parce que les conseils, les prescriptions et autres avertissements sur l'alimentation sont nombreux.

Le lait de vache est un aliment qui a mauvaise réputation depuis plusieurs années, même si aujourd'hui il semble que la méfiance se porte plus sur le gluten. L'affirmation *«le lait, c'est fait pour les veaux et pas pour les humains adultes»* est fondée sur une réalité scientifique. À l'âge adulte, l'humain perd la lactase, une substance chimique qui permet de digérer le lait. Cela ne signifie pas pour autant qu'il est intolérant au lactose, car certains boivent sans problème un bol de lait. *«Ils peuvent même en boire plus, à condition de le boire en plusieurs fois et en petite quantité»*, précise le professeur Jean-Louis Bresson, pédiatre à l'hôpital Necker à Paris. Les spécialistes s'inquiètent pourtant de la tentation de supprimer tout produit laitier en s'estimant intolérant au lactose, les produits laitiers étant une source de protéines et de calcium nécessaires à la santé.

Une peur en remplaçant une autre, le renoncement au lait semble aujourd'hui dépassé par le refus du gluten. Mais son rejet de nos assiettes alarme moins les médecins. *«Cela peut être triste de supprimer pâtes et pizzas, mais sur le plan alimentaire, c'est souvent sans conséquences»*, affirme Jacques Fricker, médecin nutritionniste. Le régime sans gluten est en revanche indispensable pour le 1 % de la population qui souffre d'une réelle intolérance au gluten. Cette maladie provoque une destruction de certaines parties du système digestif. La mode du «no glu» aura eu un seul avantage: augmenter le nombre de produits utiles pour ces malades.

D'après www.sante.lefigaro.fr

Répondez aux questions.

1. Pourquoi certaines personnes choisissent-elles des régimes « sans » ? *(Deux réponses.)*

....

2. Dites si l'affirmation est vraie ou fausse en cochant (x) la case correspondante et citez le passage du texte qui justifie votre réponse.

De nos jours, la diffusion de l'information aide le consommateur à savoir ce qu'il peut consommer.   ☐ Vrai   ☐ Faux

....

3. Selon les spécialistes, le lait est…
   a. inutile   **b.** important   **c.** dangereux   … pour la santé.

4. Que pense le nutritionniste Jacques Fricker de la mode du « sans gluten » ?

....

5. Quel est l'intérêt de la mode du « sans gluten » ?

....

Compréhension orale

2 🎧 ▶010 **Vous écoutez une émission à la radio sur une nouvelle tendance. Répondez aux questions.**

1. Qu'est-ce que l'« upcycling » ou le « surcyclage » ?

....

2. Citez deux avantages de l'upcycling pour les créateurs de mode selon Jean-François Nicolaï.

....

....

3. Quelles observations Anaïs Dautais Warmel a-t-elle faites pendant son séjour au Brésil ?
   a. L'écologie était une préoccupation mineure.
   b. Les Brésiliens préféraient acheter des vêtements neufs.
   c. Le recyclage de vêtements était une pratique courante.

4. Pourquoi Anaïs Dautais Warmel a-t-elle choisi de faire de l'upcycling ?

....

5. Selon Anaïs Dautais Warmel, quelle est la base de la mode circulaire ?
   a. Des partenariats avec d'autres pays.
   b. La réutilisation de matériaux usagés.
   c. Un échange entre le créateur et le client.

6. Quel est le problème des produits issus de l'upcycling, selon le journaliste ?

....

7. D'après Anaïs Dautais Warmel, qu'inclut le prix des vêtements « upcyclés » ?

....

Production orale

3 Un ami vous demande de l'aider à choisir un cadeau pour sa cousine. Vous essayez de le convaincre de l'intérêt de consommer d'occasion en lui présentant les avantages de cette pratique et en lui donnant des exemples concrets. (3 à 4 minutes environ)

Production écrite

4 Vous lisez l'annonce suivante sur un site Internet.

> L'agence «Vacances 2.0» réalise un sondage, afin de proposer des vacances innovantes qui vous correspondent. Quelles sont les vacances les plus originales que vous aimeriez vivre ?
> Écrivez vos idées à l'adresse **vacances-originales@gmail.com**

Vous écrivez un mél au directeur de l'agence de voyages pour lui proposer vos idées et le convaincre de mettre en place un nouveau mode de vacances. (250 mots minimum)

....

....

....

....

....

Nous nous évaluons

▷ Parler du passé avec précision

1. 🎧 M011 Écoutez l'interview de Golshifteh Farahani sur une radio française. Faites les activités. Vérifiez votre **score p. 5 du livret.**

a. Répondez aux questions.

1. Quels sont les talents artistiques de Golshifteh Farahani ?

.... et ....

2. Que représentent ces trois pays dans la vie de Golshifteh Farahani ?

La France : ....

L'Iran : ....

Les États-Unis : ....

3. Où vit-elle à présent ?..

b. Vrai ou faux ? Cochez et justifiez avec un extrait de l'interview.

1. Avant son expérience à Hollywood, sa vie était plus ordinaire.   ☐ Vrai   ☐ Faux

Justifiez : ....

2. Sa vie d'enfant a souvent été solitaire.   ☐ Vrai   ☐ Faux

Justifiez : ....

3. Elle a voyagé seulement à l'âge adulte.   ☐ Vrai   ☐ Faux

Justifiez : ....

4. Elle a vécu en France.   ☐ Vrai   ☐ Faux

Justifiez : ....

c. Pour chaque groupe de propositions, indiquez celle qui se passe avant (1) et celle qui se passe après (2). Justifiez avec un extrait de l'interview.

1. ☐ Partir pour la France   ☐ S'installer au Portugal

Justifiez : ....

2. ☐ Quitter son pays   ☐ Être sélectionnée dans une école à Vienne

Justifiez : ....

d. Complétez la présentation de l'émission de radio.

Invitée du jour : Golshifteh Farahani

Profession : actrice et chanteuse

Pays de travail : Iran, États-Unis, France, etc.

Son parcours : Alors que ses parents la destinaient à la musique, la jeune Golshifteh a finalement choisi le cinéma. Après .... et avant de ...., sa carrière a pris une dimension internationale. Grâce aux trois langues ...., elle a su développer un don unique pour communiquer et elle sait savourer la musicalité des langues dans ses différents rôles.

Mon score ..../10

> ## Décrire un métier et présenter une évolution de la société

2. Lisez l'article d'un magazine économique. Faites les activités. Vérifiez votre score p. 5 du livret.

Entrevue

Certains experts craignent que la robotisation aboutisse à la destruction d'un emploi sur deux. Nicolas Bouzou, directeur de la société d'analyse économique Asteres, ne croit pas à ce scénario.

Bill Gates a déclaré qu'un impôt était nécessaire pour accompagner le phénomène de destruction d'emplois provoqué par la robotisation dans de nombreux secteurs... Pensez-vous aussi que la robotisation aboutira à des destructions d'emplois plus importantes que les créations ?

Nicolas Bouzou : Non. Des pertes d'emplois, oui, mais une baisse globale des emplois, non. En effet, à chaque moment de l'histoire, il y a eu un phénomène de «destruction créatrice» qui a mené à la création plutôt qu'à la destruction d'emplois. Jusqu'ici, toutes les théories sur la «fin du travail» ne se sont pas réalisées. Selon moi, une taxe sur les robots représenterait un réel handicap et surtout moins de compétitivité pour les entreprises françaises. Imaginez une taxe sur les machines au 19e siècle, pendant la Révolution industrielle !

D'accord, mais à cette époque, les machines industrielles n'étaient pas aussi efficaces que les robots d'aujourd'hui et, si elles aidaient à gagner en productivité, elles ne remplaçaient pas autant de travailleurs que les robots hyperpuissants d'aujourd'hui !

Nicolas Bouzou : Vous faites une erreur ! Prenons un exemple : autrefois, des femmes triaient les pommes de terre. Elles occupaient souvent le poste qu'une autre femme avait dû abandonner tant les conditions de travail étaient dures et les blessures fréquentes. Puis des machines les ont remplacées et elles ont aussi créé des besoins nouveaux. De nouveaux postes de techniciens, ingénieurs, etc., ont été créés et tout le secteur de la pomme de terre s'est transformé. Et cela continue : par exemple, on cherche de nouvelles façons de produire pour que la taille des pommes de terre soit toujours la même et s'adapte aux préférences des consommateurs. Il faut donc bien réfléchir à cette idée de perte d'emplois : l'emploi change, il ne disparaît pas.

a. Choisissez le titre de l'article. Cochez et justifiez votre choix.

☐ 1. Une taxe sur les robots qui remplacent des travailleurs

☐ 2. Débat sur la destruction réelle d'emplois par les robots

☐ 3. Il faut tout faire pour assurer la compétitivité des sociétés françaises !

Justifiez : ....

....

b. Répondez aux questions.

1. Quelle est la profession disparue citée dans l'article ? ....

2. Définissez-la en une phrase. ....

c. Numérotez dans l'ordre chronologique les différentes étapes de la disparition de la profession citée.

☐ Les employées sont remplacées par des machines.

☐ De nouveaux postes de travail plus qualifiés sont créés.

☐ Les employées ne restent pas longtemps sur le poste de travail.

☐ Le métier est difficile physiquement.

☐ On cherche à modifier le produit pour supprimer cette tâche.

(Mon score .... /10)

Les temps du passé pour raconter avec précision

3. Lisez le récit de Huan et soulignez les formes correctes. Justifiez votre choix en précisant le temps utilisé et ce qu'il exprime dans la phrase.

Exemple : *Avant mon arrivée en France, j'<u>avais eu</u> / j'avais l'occasion de découvrir le cinéma français.*

Plus-que-parfait → la découverte du cinéma français a eu lieu avant l'arrivée en France.

1. Quand j'étais encore en Chine, j'imaginais / j'avais imaginé que je pourrais devenir cinéaste à mon tour.

   Justifiez : ....

   ....

2. J'ai décidé d'apprendre le français puis j'ai commencé / je commençais les démarches pour obtenir un visa d'études.

   Justifiez : ....

   ....

3. À mon arrivée, j'ai compris / je comprenais que je devrais être patient avant d'intégrer l'université.

   Justifiez : ....

   ....

4. Pendant une année, j'ai suivi / je suivais des cours de français presque en continu.

   Justifiez : ....

   ....

5. Bien sûr, vivre en France m'avait apporté / m'apportait beaucoup de pratique durant cette formation.

   Justifiez : ....

   ....

6. En effet, pour gagner un peu d'argent, j'ai fait / je faisais régulièrement des missions d'intérim avec des Français.

   Justifiez : ....

   ....

4. Entourez le mot avec lequel le participe passé en italique s'accorde quand il y a un accord.

1. Beaucoup d'artistes que l'on croit français ne sont pas *nés* en France mais ils y sont *arrivés* plus tard.

2. Chopin, polonais de naissance, a *obtenu* un passeport français.

3. Certaines de ses œuvres ont été *écrites* en France.

4. Un autre exemple : Pablo Picasso. Il existe de nombreux musées en France où sont *exposées* ses œuvres.

5. Les erreurs de nationalité du passé doivent être *corrigées* : il est bien *resté* espagnol, jusqu'à sa mort.

6. Le premier prix Nobel de physique que la France a *reçu*, c'est à Marie Curie, *née* en Pologne, qu'on le doit.

5. Dans le dialogue, accordez les participes passés quand c'est nécessaire. Soulignez le(s) mot(s) avec le(s)quel(s) ils s'accordent.

— Hier soir, mon fils et moi avons regardé............ un documentaire très intéressant qui raconte les différentes étapes de migration vécu............ par la France. C'est assez impressionnant, il y a des faits historiques qui ne sont vraiment pas connu............ .

— Ah oui ? Quoi par exemple ?

— Par exemple, je n'étais pas conscient des différentes lois qui s'étaient présenté............ dans l'histoire. Et surtout, je ne connaissais pas les changements de situation que les personnes avaient dû............ subir au cours de leur vie, en fonction de l'évolution politique de l'État français.

— Ces changements, ils étaient expliqué............ dans ton documentaire ? Parce que ce n'est pas très clair ce que tu me dis…

– C'est très simple : avec chaque nouveau président, les lois ont été modifié.............. Un exemple : avant, tous les enfants qui étaient né.............. en France de parents naturalisés français obtenaient la nationalité française automatiquement. Aujourd'hui, ils sont obligés de la demander à l'âge de 18 ans et les démarches qui doivent être effectué.............. sont nombreuses !

– Je vois. On peut donc imaginer toutes les adaptations qui sont imposé.............. à toutes ces personnes ! Et ton fils, qu'est-ce qu'il en a pensé.............. ?

6. Voici la notice biographique de l'écrivain Milan Kundera. Écrivez une présentation avec les temps du passé : passé composé, imparfait, plus-que-parfait et infinitif passé.

> **1929 :** Naissance à Brno, en Moravie (actuelle République tchèque).
>
> **1975 :** Émigration en France, en Bretagne, avec son épouse, Vera.
>
> **1975-1978 :** Professeur de littérature à l'Université de Rennes 2 et à l'École des hautes études en sciences sociales, à Paris.
>
> **1978 :** Installation à Paris.
>
> **1979 :** Perte de la nationalité tchèque.
>
> **1980 :** Début de sa participation à la correction des traductions de ses romans en français.
>
> **1981 :** Obtention de la nationalité française.
>
> **1993 :** Publication de son premier roman écrit en français, *La Lenteur*.
>
> **2001 :** Grand prix de littérature de l'Académie française pour l'ensemble de son œuvre.

....

....

....

....

....

....

....

....

Faire des hypothèses sur le passé

7. a. 🎧 №012 Écoutez les témoignages sur des choix passés. Indiquez si les personnes parlent de conséquences sur le passé ou sur le présent.

	Conséquences sur le passé	Conséquences sur le présent
Exemple	✗	
1.		
2.		
3.		
4.		
5.		
6.		

b. 🎧012 **Réécoutez les témoignages. Complétez les hypothèses sur le passé. Respectez les conséquences sur le passé ou sur le présent de leur choix.**

Exemple : *Si j'avais été intéressée par les Grandes écoles, je n'aurais pas refusé la classe préparatoire que mes parents me proposaient.*

1. Si Barbara.. français,

   elle .... au programme d'échange du lycée.

2. S'il.. changer de cadre de vie,

   il.. ses études à Marseille.

3. S'ils.. un meilleur classement,

   ils.. choisir la spécialisation qu'ils voulaient.

4. Si l'économie.. si fragile chez nous,

   on.. de partir trouver un travail ailleurs.

5. Si je.. ma famille à Paris,

   je.. humoriste aujourd'hui.

6. Si tu.. faire un stage à Montréal,

   tu.. l'accent québécois.

Nous pratiquons > MOTS ET EXPRESSIONS

Parler des métiers

8. 🎧013 **Écoutez les présentations. Indiquez à quel métier elles correspondent et s'il s'agit d'un métier disparu ou du futur.**

	Présentation n°	Métier disparu	Métier du futur
Pêcheur de sable	*Exemple*	✗	
Lecteur public			
Programmateur de personnalités			
Laveuse			
Cultivateur urbain			
Télégraphiste			
Gardien de phare			
Coordinateur météo			

Phonétique : Les caractéristiques du français parlé

9. 🎧014 **Lisez les passages soulignés de deux manières, avec ou sans contractions (mots ou lettres non prononcés). Écoutez l'enregistrement pour vérifier.**

Exemple : <u>Je me</u> souviens quand j'étais à l'école primaire, <u>on ne faisait pas de recherches</u> sur Internet, parce que <u>ça n'existait</u> pas encore.

1. <u>Je suis</u> toujours étonné quand <u>je compare</u> la vie <u>de mes</u> grands-parents et la mienne.

2. <u>Tu imagines</u> qu'à une époque, <u>il n'y avait</u> que <u>les chevaux</u> pour <u>se déplacer</u> d'une ville à l'autre !

3. <u>Ce serait</u> bien <u>que les</u> générations <u>à venir</u> aient les mêmes opportunités d'emploi <u>que leurs</u> aînés.

4. Si j'avais rencontré les bonnes personnes dans ma vie, <u>je serais peut-être devenue</u> célèbre !

5. <u>Tu as</u> entendu la dernière nouvelle ? <u>Il paraît</u> que <u>notre espérance</u> de vie n'augmente plus !

6. C'est fou <u>ce que</u> les jeunes sont impatients <u>maintenant</u> ; ils veulent tout <u>tout de suite</u> !

Nous agissons

> **Stratégie : Comprendre l'écriture du journal intime**

10. Lisez l'extrait d'un journal intime.

> **Jeudi.** La voiture a démarré chargée des bagages, j'ai fait quelques signes de la main par la fenêtre baissée : je sentais que le grand voyage commençait. Il faisait beau et tout annonçait un voyage agréable : les premiers rayons de soleil de la saison ne brûlaient pas encore, quelques légers nuages apportaient juste assez d'ombre pour être bien. Même si j'avais entendu que pour ce long week-end férié, les routes seraient très chargées... J'avais perdu le contact avec toute ma famille maternelle depuis si longtemps, je n'avais aucune idée préconçue, je n'étais qu'attente.
>
> **Vendredi.** Je suis donc arrivée hier soir. Mes cousins et mes cousines m'attendaient devant la maison de mes grands-parents. Bien sûr, je me suis perdue : je ne m'étais pas souvenue de la route exacte et j'avais dû appeler mon oncle. Bah, peu importe : lorsque je les ai vus, quand j'ai entendu leur voix, j'ai tout de suite revisité les étés heureux de mon enfance, avant l'annonce de la maladie de maman.

a. De quel type de texte s'agit-il ? Cochez.

☐ un récit autobiographique   ☐ un billet d'opinion   ☐ un article de presse

b. Quelles sont les caractéristiques du journal intime ? Cochez.

☐ indique le temps d'écriture.   ☐ exprime des émotions personnelles.

☐ est un récit à la première personne.   ☐ utilise un ton neutre.

☐ est un récit à la troisième personne.   ☐ retrace les pensées de son auteur(e).

☐ raconte des événements vécus.

c. Identifiez les éléments qui caractérisent cet extrait.

1. Entourez en bleu les pronoms personnels sujets.

2. Soulignez en bleu l'expression qui indique un mouvement de l'auteure. Temps du verbe : ....

3. Soulignez en noir ce que voit l'auteure. Temps des verbes : ....

4. Soulignez en rouge les expressions de sa pensée. Temps des verbes : ....

5. Entourez en vert la phrase qui évoque une forte émotion. Temps des verbes : ....

d. Imaginez la suite du journal intime en racontant le réveil de la narratrice le vendredi matin. Décrivez sa chambre et ses sensations.

> **Production écrite**

11. Choisissez un souvenir de rencontre familiale ou amicale et racontez-le sous la forme de deux journées de journal intime. Précisez les événements, le contexte général, les causes de cet événement et vos sensations.

> **Approche interculturelle**

12. 🎧H015 Écoutez ce billet d'opinion sur la place du témoignage personnel dans l'enseignement en France.

a. Que pensez-vous de cette habitude française qui consisterait à écarter les témoignages personnels de l'enseignement ?

b. Comparez avec la situation dans votre pays.

Nous nous évaluons

> Évoquer des lieux du passé et des souvenirs d'enfance

1. Lisez l'extrait du recueil *Les Filles du feu*. Faites les activités. Vérifiez votre score p. 6 du livret.

À mesure qu'elle chantait, l'ombre descendait des grands arbres, et le clair de lune naissant tombait sur elle seule, isolée de notre cercle attentif. — Elle se tut, et personne n'osa rompre le silence. La pelouse était couverte de faibles vapeurs condensées, qui déroulaient leurs blancs flocons sur les pointes des herbes. Nous pensions être en paradis. — Je me levai enfin, courant au parterre du château, où se trouvaient des lauriers, plantés dans de grands vases de faïence peints en camaïeu. Je rapportai deux branches, qui furent tressées en couronne et nouées d'un ruban. Je posai sur la tête d'Adrienne cet ornement, dont les feuilles lustrées éclataient sur ses cheveux blonds aux rayons pâles de la lune. [...] Adrienne se leva. Développant sa taille élancée, elle nous fit un salut gracieux, et rentra en courant dans le château. — C'était, nous dit-on, la petite-fille de l'un des descendants d'une famille alliée aux anciens rois de France ; le sang des Valois coulait dans ses veines. Pour ce jour de fête, on lui avait permis de se mêler à nos jeux ; nous ne devions plus la revoir, car le lendemain elle repartit pour un couvent où elle était pensionnaire.

Quand je revins près de Sylvie, je m'aperçus qu'elle pleurait. La couronne donnée par mes mains à la belle chanteuse était le sujet de ses larmes. Je lui offris d'en aller cueillir une autre, mais elle dit qu'elle n'y tenait nullement, ne la méritant pas. Je voulus en vain me défendre, elle ne me dit plus un seul mot pendant que je la reconduisais chez ses parents. Rappelé moi-même à Paris pour y reprendre mes études, j'emportai cette double image d'une amitié tendre tristement rompue, — puis d'un amour impossible et vague, source de pensées douloureuses que la philosophie de collège était impuissante à calmer. La figure d'Adrienne resta seule triomphante, — mirage de la gloire et de la beauté, adoucissant ou partageant les heures des sévères études. Aux vacances de l'année suivante, j'appris que cette belle à peine entrevue était consacrée par sa famille à la vie religieuse.

Gérard de NERVAL, « Sylvie », *Les Filles du feu*, 1854.

---

a. Entourez les éléments corrects pour présenter l'extrait.

Dans ce récit, *un groupe de jeunes gens / deux jeunes gens / trois jeunes gens* passent *une matinée / une soirée* ensemble à la campagne. C'est *l'hiver / l'été* et ils sont en vacances. Les deux personnages principaux *se connaissent déjà / viennent de se rencontrer* et l'arrivée d'Adrienne vient perturber leur relation. Malgré la durée *longue / rapide* de la rencontre avec cette jeune fille mystérieuse, le narrateur gardera profondément en mémoire l'image *de Sylvie / d'Adrienne*.

b. Cochez les sens évoqués dans l'extrait. Justifiez par un mot du texte.

☐ L'ouïe   Justifiez : ....

☐ La vue   Justifiez : ....

☐ Le toucher   Justifiez : ....

☐ L'odorat   Justifiez : ....

☐ Le goût   Justifiez : ....

c. Dans le premier paragraphe de l'extrait, soulignez les parties du texte qui apportent des informations sur le décor. Justifiez le temps des verbes utilisés.

....

....

d. Relisez le second paragraphe jusqu'à « chez ses parents ». Entourez les verbes qui indiquent une action principale et encadrez ceux qui indiquent une action secondaire ou inachevée dans le passé.

e. Après la séparation, quel effet produit le souvenir d'Adrienne sur le narrateur ?

....

....

....

Mon score ..../10

Analyser différentes manières de présenter ou de raconter l'histoire

2. 🎧 ▶016 Écoutez l'entretien à la radio. Faites les activités. Vérifiez votre score p. 7 du livret.

a. Complétez les informations sur Lucien.

Son âge : ....

Sa famille : ....

Son lieu d'habitation : ....

b. De quelle guerre Lucien parle-t-il ? Justifiez.

....

....

c. Dans la liste, entourez ceux qui correspondent au récit de Lucien.

Un armistice   Une capitulation   **La débâcle**   Le débarquement

     La Libération   La Résistance   La collaboration   L'Occupation

d. Quels sens sont évoqués dans le récit de Lucien ? Complétez le tableau avec les expressions utilisées et l'émotion ressentie.

Sens	Verbes	Noms	Émotions
La vue	*Avoir dans les yeux*	*La fête à l'arrivée des Américains*	*Bonheur*
L'odorat			
Le goût			
Le toucher			
L'ouïe		*Le jazz, la musique*	*Bonheur de la fête*

e. Pourquoi Lucien a-t-il des souvenirs « contradictoires » de la guerre ? Expliquez.

....

....

....

Mon score ..../10

Le passé simple pour comprendre un récit au passé

3. Lisez l'extrait d'Albert Camus. Relevez les verbes au passé simple et écrivez leur infinitif.

> *Dans un atelier, les ouvriers ont commencé une grève.*
> À ce moment, la porte qui donnait dans l'ancienne tonnellerie s'ouvrit sur le mur du fond, et M. Lassalle, le patron, s'arrêta sur le seuil. Mince et grand, il avait à peine dépassé la trentaine. [...] Malgré son visage très osseux, taillé en lame de couteau, il inspirait généralement la sympathie, comme la plupart des gens que le sport a libérés dans leurs attitudes. Il semblait pourtant un peu embarrassé en franchissant la porte. Son bonjour fut moins sonore que d'habitude; personne en tout cas n'y répondit. Le bruit des marteaux hésita, se désaccorda un peu, et reprit de plus belle. M. Lassalle fit quelques pas indécis, puis il s'avança vers le petit Valéry, qui travaillait avec eux depuis un an seulement. «Alors, fils, dit M. Lassalle, ça va?» Le jeune homme devint tout d'un coup plus maladroit dans ses gestes.
>
> Albert CAMUS, «Les muets», *L'Exil et le royaume*, © Éditions Gallimard.

	Passé simple	Infinitif
1.		
2.		
3.		
4.		
5.		
6.		
7.		
8.		
9.		
10.		
11.		

4. 🎧▸017 Écoutez l'extrait d'une émission sur le général de Gaulle et cochez pour indiquer le temps de chaque verbe.

Verbe entendu	Plus-que-parfait	Imparfait	Passé simple
apprendre			
chercher			
savoir			
être			
vouloir			
demander			
falloir			
avoir			
prendre			
se dessiner			
aller			
être parachuté			
emporter			

5. Réécrivez le texte suivant au passé composé.

> Lorsque nous entrâmes sur les terres familiales, je n'eus pas immédiatement cette impression de reconnaître ce lieu ou j'avais passé mon enfance. Nous saluâmes d'abord le gardien qui venait se présenter à ces jeunes maîtres qu'il ne connaissait pas. Il hésita puis s'arrêta devant nos chevaux, avant de nous proposer de nous ouvrir le chemin. Alors il s'avança sur la route et mon cheval le suivit vers la maison. C'est à ce moment-là que les premières images de mon enfance me revinrent. Soudain, je me suis souvenu. Cette maison avait été mon refuge, mon lieu de bonheur, chaque été, pendant des années.

....

....

....

....

....

....

Les prépositions de lieu pour situer dans l'espace

6. Complétez la description du tableau avec les prépositions suivantes. Faites les modifications nécessaires.

près de • sur • le long de • au-dessus de • devant • à la surface de • en direction du •

dans • aux pieds de • au milieu de

Femme assise au bord de la mer, Auguste Renoir, 1883

Ce tableau représente une jeune femme installée .... la plage. Son portrait est le sujet principal puisque le peintre a choisi de la peindre tout .... sa toile. La jeune femme est occupée par un travail de couture qui est posé .... ses genoux. Son expression est calme malgré le vent qui déplace son chapeau bleu .... ses cheveux. Elle semble avoir tourné la tête pour regarder .... le peintre. Le paysage est remarquablement travaillé .... ses couleurs et les mouvements qu'il représente. En effet, la femme est assise .... d'immenses rochers .... ces montagnes, les vagues s'écrasent dans un mouvement qui laisse imaginer le bruit. Au loin, ... la ligne d'horizon, se dessinent d'autres montagnes et trois bateaux .... la mer.

Nous pratiquons > MOTS ET EXPRESSIONS

Exprimer des sensations

7. Indiquez à quel sens correspondent les verbes.

	La vue	L'ouïe	Le goût	L'odorat	Le toucher
flairer				✗	
déguster					
hurler					

	La vue	L'ouïe	Le goût	L'odorat	Le toucher
prêter l'oreille à					
goûter					
apercevoir					
humer					
tâter					
feuilleter					
savourer					
palper					
saisir					
contempler					
toucher					
tenir					

8. Remplacez les mots soulignés par des mots plus précis pour améliorer le style et éviter les répétitions. Utilisez des verbes de l'activité 7 si possible.

1. Les gâteaux de mon enfance sont revenus à ma mémoire lorsque j'ai senti cette odeur sortant de votre boulangerie !

    → ....

2. Dans ses voyages, il avait pour habitude de monter en haut de chaque clocher pour regarder le panorama.

    → ....

3. Jour après jour, le bébé apprend à prendre plus d'objets et à serrer plus fort ce qu'il a dans la main.

    → ....

4. L'une des qualités d'un critique gastronomique est d'arriver à goûter chaque aliment de manière neutre.

    → ....

5. Pour apprécier une musique, on peut s'isoler dans une pièce sombre pour mieux entendre chaque bruit.

    → ....

6. Pour choisir un livre, des lecteurs regardent rapidement quelques pages. D'autres regardent les images colorées sur la couverture.

    → ....

Parler de la guerre

9. Trouvez cinq paires d'expressions contraires dans la liste suivante.

un armistice   la débâcle   le débarquement   la Libération   la Résistance

la collaboration   l'Occupation   une déclaration de guerre   une invasion   la victoire

.... ≠ ....

.... ≠ ....

.... ≠ ....

.... ≠ ....

.... ≠ ....

Nous agissons

Stratégie : décrire une photo d'événement historique

10. Observez la photographie.

Des soldats américains distribuent
de la farine aux Parisiens.

a. Faites des hypothèses sur l'événement représenté. Puis lisez la légende pour vérifier.

b. Dans chaque liste, soulignez l'élément correct pour décrire la photographie.

1. Quoi ?

l'armistice – la Libération – l'Occupation

2. Qui ?

- des passants – des prisonniers – des habitants

- des occupants – les Alliés – des forces de sécurité

3. Quand ?

en 1939 – en 1940 – en juin 1944

4. Où ?

dans un quartier d'affaires – à la campagne – dans un quartier populaire

c. Quelles émotions montre la photographie ? Cochez.

☐ La joie ☐ La peur ☐ La violence ☐ La surprise ☐ Le soulagement

d. Entourez les expressions qui expliquent la scène photographiée.

le manque alimentaire   la peur   **l'aide militaire**   **la débâcle**

le débarquement   **la Résistance**   la collaboration   la capitulation de la France

e. Rédigez une description de la photographie.

....

....

....

....

....

Production orale

11. Décrivez la photographie de l'événement historique ci-contre. Présentez son contexte (quoi, qui, quand, où), identifiez les émotions et précisez la situation. Enregistrez-vous.

Approche interculturelle

12. En France, des lois précisent les objectifs de la mémoire nationale. Elles condamnent aussi ceux qui ne respectent pas la vérité d'événements passés douloureux, comme la persécution des juifs pendant la Seconde Guerre mondiale. De telles lois existent-elles dans votre pays ?

François Mitterrand (Président français)
et Helmut Kohl (Chancelier allemand) rendent hommage
aux soldats morts pendant la guerre (1984).

Nous parlons d'histoire et de mémoire

Compréhension écrite

1 Vous lisez cet extrait du roman de l'écrivain Amin Maalouf.

> Depuis que j'ai quitté le Liban en 1976, pour m'installer en France, que de fois m'a-t-on demandé, avec les meilleures intentions du monde, si je me sentais «plutôt français» ou «plutôt libanais». Je réponds invariablement : «L'un et l'autre !» Non par quelque souci d'équilibre ou d'équité, mais parce qu'en répondant différemment, je mentirais. Ce qui fait que je suis moi-même et pas un autre, c'est que je suis ainsi à la lisière[1] de deux pays, de deux ou trois langues, de plusieurs traditions culturelles. C'est précisément cela qui définit mon identité. Serais-je plus authentique si je m'amputais[2] d'une partie de moi-même ?
>
> À ceux qui me posent la question, j'explique donc, patiemment, que je suis né au Liban, que j'y ai vécu jusqu'à l'âge de vingt-sept ans, que l'arabe est ma langue maternelle et que c'est d'abord en traduction arabe que j'ai découvert Dumas[3] et Dickens[4] et les *Voyages de Gulliver*[5], et que c'est dans mon village de la montagne, le village de mes ancêtres, que j'ai connu mes premières joies d'enfant et entendu certaines histoires dont j'allais m'inspirer plus tard dans mes romans. Comment pourrais-je l'oublier ? Comment pourrais-je m'en détacher[6] ? Mais, d'un autre côté, je vis depuis vingt-deux ans sur la terre de France, je bois son eau et son vin, mes mains caressent chaque jour ses vieilles pierres, j'écris mes livres dans sa langue, jamais plus elle ne sera pour moi une terre étrangère.
>
> Moitié français, donc, et moitié libanais ? Pas du tout ! L'identité ne se compartimente pas, elle ne se répartit ni par moitiés, ni par tiers, ni par pages cloisonnées. Je n'ai pas plusieurs identités, j'en ai une seule, faite de tous les éléments qui l'ont façonnée[7], selon un «dosage» particulier qui n'est jamais le même d'une personne à l'autre.
>
> Amin MAALOUF, *Les Identités meurtrières*, © Éditions Grasset & Fasquelle, 1998.

1. à la lisière : à la frontière, entre deux pays.
2. si je m'amputais : si j'enlevais.
3. Dumas : écrivain français du 19e siècle, auteur des *Trois Mousquetaires*.
4. Dickens : écrivain anglais du 19e siècle, auteur d'*Oliver Twist*.
5. *Les Voyages de Gulliver* : œuvre satirique de l'écrivain irlandais Jonathan Swift (1726).
6. m'en détacher : m'en désintéresser, m'en éloigner.
7. façonnée : fabriquée, modelée.

Répondez aux questions.

1. Quand Amin Maalouf écrit sur la question de l'appartenance à une nation, il semble…

  a. agacé.   **b.** étonné.   **c.** amusé.

2. En quoi les souvenirs d'enfance évoqués par Amin Maalouf ont-ils eu un impact sur son métier ?

....

3. Dites si l'affirmation est vraie ou fausse et citez le passage du texte qui justifie votre réponse.

  Amin Maalouf a découvert des ouvrages français et anglais dans sa langue maternelle.   ☐ Vrai   ☐ Faux

....

4. Comment Amin Maalouf considère-t-il la France et la langue française ?

....

5. Selon Amin Maalouf, l'identité se caractérise par…

  a. l'endroit où on vit.   **b.** notre lieu de naissance.   **c.** une multitude d'expériences.

Compréhension orale

2 🎧 ▶018 **Vous écoutez un bulletin d'information à la radio française. Répondez aux questions.**

1. Nommez au moins deux des cinq métiers menacés cités dans le reportage.

....

2. Selon la journaliste, à quoi est due la menace de disparition de ces métiers ?

....

3. Comment Didier-Yves Racapé s'est-il adapté à l'évolution de son poste ?

....

4. Quel paradoxe évoque Erwann Tison concernant les études et le marché du travail ?

....

5. Quelle solution propose Erwann Tison ?

....

6. La conclusion de la journaliste est…
   a. optimiste.   **b.** nuancée.   **c.** inquiétante.

Production orale

3 Votre professeur vous demande de présenter à la classe pourquoi vous avez choisi d'étudier le français et les liens que vous entretenez avec cette langue. Vous apportez votre témoignage sous la forme d'un court exposé. (3 à 4 minutes environ)

Production écrite

4 Vous lisez ce commentaire sur un site Internet de passionnés de séries historiques. Vous réagissez et donnez votre opinion : un film ou une série historique doit-il nécessairement être fidèle à l'Histoire ? (250 mots minimum)

> *On en débat…*
>
> **Marie62** Quand j'ai entendu parler de la série historique *Reign : le destin d'une reine*, je me suis dit que j'allais découvrir Marie Stuart et son époque, voir de beaux costumes et suivre les intrigues des complots et trahisons de la Cour de France. Mais j'ai fait quelques recherches et j'ai découvert beaucoup d'inexactitudes historiques : personnages ou événements qui n'ont jamais existé, costumes et attitudes qui ne correspondent pas à la mode du 16e siècle… Donc le problème, c'est qu'en regardant cette série, on apprend de fausses informations sur l'Histoire !

....
....
....
....
....

Nous nous évaluons

⌇ Résumer un livre et dire ce qu'on en pense

1. Lisez le résumé du roman de Michel Bussi et les commentaires d'internautes sur le site critiqueslibres.com. Faites les activités. Vérifiez votre score p. 8 du livret.

---

http://www.critiqueslibres.com ☆

Nouveautés

ON LA TROUVAIT PLUTÔT JOLIE **DE MICHEL BUSSI**

On la trouvait plutôt jolie, Leyli. Tout charme et tout sourire. Leyli Maal fait le ménage dans les hôtels à Port-de-Bouc, près de Marseille. Malienne, mère célibataire de trois enfants, Leyli nourrit un rêve immense et cache un grand secret. François Valioni travaille pour une importante association d'aide aux migrants à Port-de-Bouc. Il est retrouvé au petit matin assassiné dans un hôtel. Julo Flores est un jeune lieutenant de police. Méfiant envers son commandant et un peu trop sentimental, il ne peut pas croire que Bamby Maal, la fille aînée de Leyli, soit la coupable bien que tout l'accuse. Surtout lorsque survient un second crime.

Marvic En quatre jours et trois nuits, du désert sahélien à la jungle urbaine marseillaise, Michel Bussi nous offre un formidable suspense, dans lequel, comme toujours, priment l'humain, l'émotion, l'universel. Jusqu'au retournement de situation final stupéfiant. Le meilleur ouvrage de Bussi. Bravo mæstro !

Polarista Il est vrai que l'écriture de l'auteur est toujours aussi fluide et agréable, pas de problème de ce côté-là, mais que de longueurs, c'est vraiment lassant ! Et puis, j'ai trouvé ce livre bien trop « donneur de leçon ». Certaines pages ressemblent davantage à de véritables leçons de morale qu'à une enquête policière. De plus, dès le départ, on sait qui a fait quoi, on est bien loin du coup de théâtre magistral auquel nous avait habitué Michel Bussi dans ses précédents romans. En conclusion vous l'aurez compris, pour moi, c'est un mauvais cru.

---

a. Complétez la fiche de lecture du livre de Michel Bussi.

Fiche de lecture

Titre : *On la trouvait plutôt jolie*

Auteur : Michel Bussi

Genre : ....

Informations sur les personnages principaux :

Leyli Maal : ....

Bamby Maal : ....

Julo Flores : ....

Lieux de l'histoire : ....

Événement décisif : ....

Conséquence : ....

b. Complétez le tableau avec les extraits des critiques.

	Critique positive	Critique négative
Le rythme		
Le style		

	Critique positive	Critique négative
Les thèmes favoris		
Le message délivré par l'auteur		
Le dénouement		
L'avis général		

c. Écrivez un message sur le site critiqueslibres.com. Demandez aux internautes s'ils vous recommandent de lire *On la trouvait plutôt jolie*. Expliquez-leur le style de livre que vous appréciez d'habitude.

Mon score ...... /10

Débattre

2. Écoutez l'émission de radio. Faites les activités. Vérifiez votre score p. 9 du livret.

a. ◯ ▸019 Écoutez la première partie de l'émission de radio. Complétez la présentation de l'événement.

Événement : ....

Date : samedi 12 mai

Lieu : ....

Personnalités : ....

Nombre : ....

Symbole : ....

Objectif : ....

b. ◯ ▸020 Écoutez la deuxième partie de l'émission. Formulez le sujet du débat sous forme de question.

....

c. Indiquez qui parle des thèmes suivants.

	des réalisatrices	des réalisateurs
1. L'arrivée des femmes au travail de réalisation	☐	☐
2. Le budget	☐	☐
3. La qualité des films	☐	☐
4. La rémunération	☐	☐

d. Rédigez trois revendications des réalisatrices avec des comparatifs.

1. Nous voulons..

2. ....

3. ....

Mon score ...... /10

Les comparatifs et les superlatifs pour comparer et établir une hiérarchie

3. Lisez ces informations sur les habitudes de lecture des Français et écrivez six comparaisons. Variez les structures de comparaison.

Les Français lisent...	
89 % choisissent le format papier (25 % sont de grands lecteurs)	
24 % choisissent le format numérique (5 % sont de grands lecteurs)	
69 % lisent des romans	59 % lisent des livres pratiques (cuisine, bricolage…)
96 % lisent dans des moments de loisirs	4 % lisent exclusivement pour leur travail

1. ....
2. ....
3. ....
4. ....
5. ....
6. ....

4. Soulignez l'expression correcte dans les citations suivantes.

1. Quand on se contente de peu, moins de / les moindres petites choses suffisent à notre bonheur. *Mary Sarah Newton*

2. L'amour se nourrit de patience autant / aussi que de désir. *Amin Maalouf*

3. Le moindre / Le plus grand mal est encore un mal. *Henri-Frédéric Amiel*

4. Le meilleur / le mieux gouvernement est celui où il y a le moins d' / le moins hommes inutiles. *Voltaire*

5. Avoir peur, c'est mourir mille fois, c'est pire / moindre que la mort. *Stefan Zweig*

6. Le crétin prétentieux est celui qui se croit plus d' / plus intelligent que ceux qui sont aussi / autant de bêtes que lui.

Pierre Dac, humoriste (1893-1975)

5. a. Lisez les sujets des classements du site topito.com. Complétez avec des superlatifs.

Topito.com

1. Top 10 des .... (+ / bon) répliques de cinéma
2. Top 5 des .... (– / bon) films de l'histoire
3. Top 3 des arrondissements de Paris où il y a .... (+ / des tournages)
4. Top 5 des scènes de films .... (+ / effrayant) du cinéma
5. Top 10 des films qui parlent .... (+ / bien) des années lycée
6. Top 3 des films francophones qui s'exportent .... à l'étranger (+)

b. Par deux. Proposez quatre sujets de classement dans le domaine de la littérature. Utilisez quatre superlatifs.

....
....
....
....

Les pronoms relatifs pour éviter les répétitions

6. Associez pour former des phrases. On ne peut utiliser qu'une seule fois chaque élément.

1. C'est le film •	• dont •	• incarne le premier rôle.
2. C'est le théâtre •	• à cause duquel •	• j'ai joué ma première pièce.
3. C'est la date •	• à laquelle •	• il tient beaucoup.
4. C'est l'actrice •	• où •	• il n'a pas obtenu le rôle.
5. C'est un rôle •	• auquel •	• elle a rencontré la réalisatrice.
6. C'est le jour •	• qui •	• j'ai vu la bande-annonce la semaine dernière.
7. C'est le problème •	• dans lequel •	• sortira le dernier film de François Ozon.

7. Soulignez le pronom relatif correct dans ces titres d'articles.

1. Quinze détails auxquels / à côté desquels il ne faut pas passer dans *Les animaux fantastiques 2*
2. *La petite maison dans la prairie* pleure Harriet Olleson jouée par l'actrice Katherine MacGregor de laquelle / dont le décès vient d'être annoncé par son agent
3. Les films lesquels / qui cartonnent cette semaine
4. Annonce officielle de la date à laquelle / quand débutera le tournage de la saison 4 de *The expanse*
5. Voici enfin la liste des meilleurs espoirs féminins et masculins qui / que dévoile l'Académie des César
6. Lettre signée par Leonardo DiCaprio et Christopher Nolan dans laquelle / dont ils appellent à sauver un service de streaming dédié au cinéma d'auteur
7. Les moments de cinéma quand / où on a le plus tremblé

8. Complétez l'article avec les pronoms relatifs suivants :

dont (× 2) – où – à cause de laquelle – que – quoi – avec lequel – qui

---

Télérama.fr

On a infiltré le tournage du *Bureau des légendes*, saison 4

En ce début avril .... (1) il pleut des cordes sur la Cité du cinéma de Saint-Denis, c'est un vent glacial .... (2) souffle sur la grande salle de réunion du *Bureau des légendes*, ... (3) le tournage de la quatrième saison a débuté le 7 février. Un bref rappel du contexte s'impose : le bureau se relève à peine de « l'affaire Malotru », ... (4) la saison 3 se termine par la mort d'un agent et la fuite d'un traître (Malotru, incarné par Mathieu Kassovitz).

« *Est-ce que tu t'es méfié de tout le monde dans le service* .... (5) *tu diriges ? Ce à* .... (6) *je fais référence, ce n'est pas à la déloyauté mais à la faiblesse, à l'imprudence…* » Le phrasé lent .... (7) il s'exprime, montre comment Mathieu Amalric a capté le rythme particulier de la série, ... (8) les catastrophes s'annoncent toujours à mi-voix.

---

9. Complétez librement ces débuts de phrase.

1. J'apprécie les séries dont ....
2. J'aime les personnages auxquels ....
3. Les scènes dans lesquelles ....

Qualifier le style ou le contenu d'un livre

10. a. Trouvez le mot correspondant à la définition.

1. Abondant, riche : _ _ _ _ _ N _ _ _ T

2. Manière de s'exprimer par écrit : É _ R _ T _ _ _

3. Un peu fou, bizarre : _ _ U _ _ Q _ _

4. Moyen d'expression qui présente des situations de façon amusante : _ U _ _ U _

5. Amusant, distrayant : _ _ V _ _ _ _ S _ A _ _

6. Le personnage masculin principal d'un roman : _ É _ _ _

7. Ouvrage capital, meilleure œuvre d'un auteur : C _ _ _ -D' _ _ _ V _ _

8. Émouvant : T _ _ C _ _ _ T

9. Caractère de ce qui est original : O _ _ _ _ N _ _ _ _ É

10. Plein(e) de péripéties extraordinaires : R _ _ _ M _ _ _ _ _ Q _ _

b. Complétez l'article avec des mots de l'activité **11a**.

La bibliothèque idéale de Daniel Picouly

La palme de l'............................ (1) de la rentrée littéraire va à Daniel Picouly, finaliste du prix Goncourt, qui s'est glissé dans la peau d'un volcan ! Mais l'écrivain est aussi un lecteur qui se confie.

Le livre qui l'a le plus marqué enfant

« *L'Enfant au fennec*, de Jacques Dupont, l'histoire d'un jeune garçon recueillant un petit animal qui risque de mourir de froid, s'il le garde. Pour le sauver, il le confie alors à un prince des pays chauds. C'était la première fois que je voyais un .... (2) qui me ressemblait. Une histoire remplie d'émotions, très .... (3). Une leçon de vie, de style et d'............................ (4) reçue à 10 ans. Un véritable .... (5). »

Le livre qu'il emporterait sur une île déserte

« Le livre qui contient tous les livres, *Don Quichotte*, de Cervantès. Il est difficile de parler de ce livre tant il est riche et .... (6). Grâce à ce personnage extravagant, étrange et .... (7), j'ai appris qu'il était salutaire de sortir de sa bibliothèque, non pas pour voir le monde tel qu'il est, mais pour le réécrire à la pointe de sa propre lance. »

Le livre qui l'a fait le plus rire

San Antonio, lu en intégralité entre 14 et 17 ans. « J'adorais l'............................ (8) et la verve de son auteur Frédéric Dard. Mon père rentrait de sa journée d'usine, épuisé, le front plissé. Le soir, il lisait les aventures .... (9) de San Antonio à table. Alors, il se produisait un miracle : il riait et son front se déplissait. C'était .... (10). C'est là qu'est née ma vocation de "déplisseur de front" : écrivain. »

---

11. 🎧▶021 Écoutez les présentations des livres. Associez un titre de livre à un adjectif. Attention, deux adjectifs ne correspondent à aucune présentation.

1. *Vol au vent*, Rob Biddulph •

2. *L'Enfant des Lumières*, Françoise Chandernagor •

3. *La Balade des perdus*, Thomas Sandoz •

4. *Les Onze*, Pierre Michon •

• a. rocambolesque

• b. ennuyeux

• c. absurde

• d. loufoque

• e. laborieux

• f. foisonnant

Nous agissons

Stratégie : Débattre oralement

12. a. Lisez la carte mentale.

1. Donner son avis

2. Demander des précisions concernant un point de vue

7. Connaître l'avis de l'autre

DÉBATTRE

3. Exprimer son accord

6. Reformuler ce qu'a dit l'autre

4. Exprimer son désaccord

5. Garder la parole

b. **Indiquez le numéro de l'objectif de la carte mentale pour chaque expression.**

☐ Quel est votre avis sur la question ?

☐ J'ai l'impression que…

☐ Vous voulez dire que…

☐ Arrêtez de me couper la parole.

☐ Si je vous ai bien compris, vous pensez que…

☐ Mais attendez, laissez-moi terminer !

☐ Qu'est-ce que vous voulez dire par là ?

☐ En ce qui me concerne, je suis persuadé(e) que…

☐ Je respecte votre point de vue mais…

☐ Comment est-ce que vous voyez les choses ?

☐ Je voudrais continuer jusqu'au bout si vous voulez bien.

☐ Je partage votre avis.

☐ Je ne suis pas d'accord avec vous sur ce point.

☐ Vous pourriez préciser votre pensée ?

Production orale

13. Êtes-vous pour ou contre l'adaptation cinématographique d'œuvres littéraires ? Préparez une liste d'arguments pour et contre. Puis débattez avec la classe avec des expressions de l'activité 12.

Approche interculturelle

14. Voici le classement des romans préférés des Français.

Top des romans préférés des Français

1. *Les Misérables*, Victor Hugo (1862)

2. *Le Petit Prince*, Antoine de Saint-Exupéry (1943)

3. *Germinal*, Émile Zola (1885)

a. **Avez-vous lu ces livres ? Sont-ils connus dans votre pays ?**

b. **Faites une recherche et présentez le classement des romans préférés dans votre pays.**

c. **Comparez votre liste avec celle des romans préférés des Français (date de publication, genre, sujet).**

Nous nous évaluons

Poser un problème et proposer des solutions

1. Lisez l'article de presse économique. Faites les activités. Vérifiez votre score p. 10 du livret.

---

lepatrimoine.fr

Il faut faire payer l'entrée des édifices religieux. À certaines heures, évidemment, lorsque les églises et cathédrales se visitent et ne sont plus des lieux de culte. Si je fais cette proposition, c'est pour répondre à une urgence. Le patrimoine des églises est un chef-d'œuvre en danger.

La création d'un droit d'entrée dans les églises les plus visitées est une solution pour leur sauvegarde et bien plus encore. Le monument disposerait de ressources propres favorisant son entretien. À ce jour, l'entretien des églises dépend principalement des pouvoirs publics. Les cathédrales sont entretenues sur la part du budget du ministère de la Culture consacrée au patrimoine, laquelle est réduite. Du coup, les sommes consacrées à la maintenance sont systématiquement insuffisantes et les édifices ne cessent de se dégrader.

Au-delà de cette autonomie budgétaire, la mise en place d'un droit d'entrée permettrait de lutter contre une surfréquentation menaçant la conservation du monument. Avec une fréquentation annuelle comprise entre 12 et 14 millions de visiteurs, Notre-Dame de Paris* est au bord de l'asphyxie. La fin de la gratuité permettrait d'en réduire la fréquentation. Si elle était divisée par deux, avec un billet au prix moyen de 10 euros par personne, il en résulterait un produit annuel compris entre 60 et 70 millions d'euros, à comparer avec les 150 millions d'euros jugés nécessaires pour la réalisation des travaux de restauration sur trente ans.

Le droit d'entrée pourrait également être bénéfique pour le visiteur lui-même en permettant d'améliorer son expérience. En effet, à ce jour, c'est à un rythme à peine moins rapide que celui des usagers du métro et dans le brouhaha que les visiteurs font le tour. L'expérience n'est pas satisfaisante. Alors qu'avec un droit d'entrée, on pourrait profiter d'une fréquentation moins dense mais plus régulière, d'audio-guides, d'applications à télécharger, d'éclairages des meilleurs spécialistes… Il deviendrait possible d'effectuer une visite sur mesure avec un parcours classique et des options pour qui veut en savoir plus et faire parler les pierres.

---

* Article paru avant le grand incendie du 15 avril 2019 qui a ravagé une partie de la cathédrale.

a. Indiquez la nature de l'article. Justifiez par deux exemples.

☐ explicatif ☐ descriptif ☐ d'opinion

Justifiez : 1. ....

2. ....

b. Choisissez le titre de l'article.

☐ Patrimoine des églises en piteux état ☐ Patrimoine des églises en ruine ☐ Patrimoine des églises en péril

c. Résumez les problèmes soulevés par le journaliste et indiquez la solution proposée.

1. L'entretien et la maintenance : ....

....

2. Le tourisme : ....

3. La qualité de la visite : ....

Solution proposée : ....

d. Relevez les mises en relief dans l'article pour souligner :

1. le caractère urgent de la situation. ....

2. la rapidité de la visite. ....

e. Complétez la solution proposée pour Notre-Dame de Paris.

Notre-Dame de Paris est un .... religieux qui souffre de sa popularité, l'exemple type

d'un patrimoine en .... Une solution existe pourtant. Avec une entrée coûtant 10 euros et

un nombre de visiteurs compris entre .... et ...., la recette d'un peu moins

de trois ans de droits d'entrée permettrait le .... de trente ans de ....

Mon score ...... /10

> **Comprendre un processus de création**

2. ⌂ ▸022 Écoutez la présentation de la série *Invisibles*. Faites les activités. Vérifiez votre score p. 10 du livret.

a. Complétez la fiche de présentation.

> **Titre de la série : Invisibles**
>
> .... : Alex Ogou
>
> .... : Alex Ogou et Aka Assié
>
> .... : 10 de 52 minutes
>
> .... : 6 mois
>
> .... : Canal +
>
> .... : à partir d'octobre

b. Écrivez la mission dont a été chargée l'actrice Prudence Maidou.

....

c. Vrai ou Faux ? Répondez et justifiez avec un extrait de la présentation.

1. *Invisibles* est une série francophone. ☐ Vrai ☐ Faux

Justifiez : ....

2. Les enfants sont des comédiens professionnels. ☐ Vrai ☐ Faux

Justifiez : ....

3. Les enfants jouent bien leur rôle. ☐ Vrai ☐ Faux

Justifiez : ....

4. Prudence Maidou n'est pas sensible au thème de la série. ☐ Vrai ☐ Faux

Justifiez : ....

5. La série a obtenu une récompense. ☐ Vrai ☐ Faux

Justifiez : ....

d. Écrivez ce que remplacent les pronoms en gras dans la présentation.

1. Ils (= les enfants) n'**en** avaient aucune idée.

....

2. Ils (= les enfants) **y** sont arrivés.

....

3. Ils (= les gens) vont **en** parler autour d'eux.

....

e. Rédigez un bref résumé de la série. Utilisez les informations données par le réalisateur.

....

....

....

Mon score ...... /10

La mise en relief pour souligner une information

3. **Écrivez des phrases en mettant en relief le but ou la cause.**

Exemple : *Création du loto du patrimoine / But : financer la restauration d'édifices en péril.*

Si le loto du patrimoine a été créé, c'est afin de financer la restauration d'édifices en péril.

a. Rénovation de la maison de Pierre Loti / Cause : financer le loto du patrimoine.

....

b. Signature d'une pétition par l'association « Vive le Marais » / But : sauver les kiosques à journaux Art nouveau.

....

c. Inquiétude de la population locale / Cause : détérioration du vieux théâtre.

....

d. Organisation des journées du patrimoine / But : découvrir des édifices souvent fermés au public.

....

e. Fierté des Suisses / Cause : inscription du carnaval de Bâle sur la liste du patrimoine culturel immatériel de l'Unesco.

....

4. **Lisez la pétition pour sauver la gare de Bouchain. Identifiez et corrigez les cinq erreurs de pronom relatif.**

C'est la plupart des gares où ont été détruites sur la ligne Valenciennes-Cambrai sauf la gare de Bouchain.

C'est un patrimoine historique qui représente la gare de Bouchain. C'est donc de l'histoire ferroviaire et du travail

des cheminots qu'il est le symbole. C'est la gare où des millions de voyageurs sont passés. C'est l'architecte de la

Compagnie des chemins de fer du Nord, Étienne Lejeune, que l'a conçue. Ce sont la brique rouge, la pierre blanche, le

fer et la fonte qui ont été associés pour créer cette architecture exceptionnelle. Elle illustre parfaitement l'architecture

industrielle de la seconde moitié du 19ᵉ siècle. C'est grâce à sa situation géographique où elle a échappé aux

bombardements et aux destructions durant les deux guerres. Ce n'est pas l'enfermement de la gare dans son passé qu'il

s'agit, mais c'est la valorisation, lui donner une nouvelle vie, un nouvel avenir, répondant aux besoins d'aujourd'hui.

Les pronoms *en* et *y* pour éviter les répétitions

5. a. 🎧▸023 **Écoutez les commentaires et indiquez de quoi parlent les personnes.**

Exemple : *les journées du patrimoine*

1. ....
2. ....
3. ....
4. ....
5. ....
6. ....
7. ....
8. ....

b. 🎧H023 **Réécoutez et reportez-vous à la transcription (p. 10 du livret). Complétez avec les expressions entendues et écrivez la forme verbale à l'infinitif.**

		Exemple	*Je m'y rends → se rendre à*
Y	Complément d'un verbe introduit par *à*		
	Complément d'un adjectif introduit par *à*		
	Nom de lieu introduit par *à*		
EN	Complément d'un verbe introduit par *de*		
	Complément d'un adjectif introduit par *de*		
	Nom de lieu introduit par *de*		

6. Par deux. À l'oral. Reformulez les questions en évitant les répétitions et interrogez votre camarade. Utilisez *en*, *y* ou un pronom tonique.

1. Quand tu as vu une exposition qui t'a plu, tu aimes retourner à cette expo ?

2. Qui est l'artiste que tu admires le plus ? Pourquoi tu t'intéresses à cet(te) artiste en particulier ?

3. Quand tu viens de voir un film, tu aimes discuter de ce film immédiatement ou tu préfères réfléchir à ce film tranquillement ?

4. Florence Foresti a interdit l'utilisation des téléphones portables pendant son spectacle. Tu es favorable à l'interdiction des téléphones portables pendant un spectacle ou tu es opposé(e) à l'interdiction des téléphones portables pendant un spectacle ?

5. Une personne sur deux dit qu'elle aimerait jouer dans un film. Et toi, tu aurais envie de jouer dans un film ?

6. Si tu apprécies un(e) artiste, tu parles souvent de cet(te) artiste ?

Nous pratiquons > MOTS ET EXPRESSIONS

Parler du patrimoine

7. Associez les mots de même sens.

a. la protection •	• 1. le bâtiment
b. en danger •	• 2. la sauvegarde
c. l'édifice •	• 3. en péril
d. une aide financière •	• 4. un site
e. une rénovation •	• 5. des travaux
f. abîmer •	• 6. dégrader
g. casser •	• 7. détruire
h. un lieu •	• 8. s'effondrer
i. s'écrouler •	• 9. un financement
j. un chantier •	• 10. une restauration

Les registres de langue standard et familier

8. **a.** **Numérotez les phrases du dialogue dans l'ordre.**

☐ a. Ah oui, je vois, encore un truc sur l'hôpital… Et tu as regardé toute la saison ?

☐ b. Tu as raison. Finalement, on s'en fout de qui regarde quoi. Le plus important, c'est de passer un bon moment !

☐ c. Ça y est, j'ai regardé Hippocrate.

☐ d. Tu sais, c'est la série qui passe sur Canal +, c'est sur des internes en médecine…

☐ e. Ouais, ce week-end.

☐ f. Ah ouais, c'est quoi déjà ?

☐ g. Oui. C'était trop bien. Il faut vraiment que tu la regardes cette série.

☐ h. Tu veux dire que tu t'es bouffé les huit épisodes en deux jours ?

☐ i. Arrête de me mettre la pression. Ça me sort par les yeux les séries qui se passent à l'hôpital. Moi, j'y travaille tous les jours à l'hôpital alors je vais pas me farcir les séries en plus ! Je préfère de loin un bon petit polar, ça me détend.

b. **Écrivez les expressions du dialogue de même sens.**

1. forcer quelqu'un à faire quelque chose : ....

2. faire quelque chose avec déplaisir ou ennui : ....

3. quelque chose : ....

4. consommer quelque chose en grande quantité : ....

5. ce n'est pas important : ....

6. une série policière : ....

7. ne pas supporter : ....

Parler des séries et des tournages

9. 🎧 ▸024 **Écoutez et écrivez la profession de chaque personne.**

1. ....   4. ....

2. ....   5. ....

3. ....   6. ....

10. **Complétez ce commentaire sur une série de télévision. Attention au nombre de lettres.**

http://www.programmetv.fr

Attention spoiler !

La quatrième _ _ _ _ _ _ de la _ _ _ _ _ policière *Falco* démarre ce jeudi 7 avril sur TF1. La chaîne _ _ _ _ _ _ _ les deux premiers _ _ _ _ _ _ _ _ _, qui marquent la fin de l'aventure pour Falco. L' _ _ _ _ _ _ Sagamore Stévenin qui _ _ _ _ _ _ _ le flic Alexandre Falco a annoncé en juin dernier son départ, à cause de désaccords artistiques avec l'ensemble de la _ _ _ _ _ _ _ _ _ _ sur l'évolution de son _ _ _ _ _ _ _ _ _ _.

Phonétique : Les voyelles nasales et la dénasalisation

11. 🎧 ▸025 **Lisez les trois expressions et entourez celle dont la voyelle finale n'est pas nasale. Écoutez pour vérifier.**

Exemple : nous l'impressionnons – en l'impressionnant – (ils l'impressionnent)

1. nous le fondons – en le fondant – ils le fondent

2. en le sélectionnant – nous le sélectionnons – ils le sélectionnent

3. ils l'attendent – nous l'attendons – en l'attendant

4. elles le maintiennent – en le maintenant – nous le maintenons

5. nous l'imaginons – ils l'imaginent – en l'imaginant

6. ils le surprennent – en le surprenant – nous le surprenons

Nous agissons

Stratégie : Donner son avis

12. a. Lisez le sujet du débat et l'avis d'un internaute.

> ### Pour ou contre des mesures pour limiter le tourisme de masse ?
>
> Visiter la grotte de Lascaux, se promener sur la plage paradisiaque de Ko Phi Phi, dormir dans un hôtel flottant sur un canal à Amsterdam… **certes**, ça me fait rêver comme tout le monde. **Mais** je ne ferai rien de tout cela. **D'abord, parce que** je m'y refuse totalement. Le tourisme de masse pollue l'environnement, dégrade le patrimoine et dénature les sites, **c'est évident**. **Ensuite, parce que** ce n'est plus possible et **c'est tant mieux** ! En effet, Lascaux est interdite au public depuis bien longtemps, Ko Phi Phi a fermé sa plage pour permettre au corail de se régénérer et Amsterdam a interdit les hôtels flottants. **Pourquoi** ne pas juste limiter le tourisme, **me direz-vous**. **Prenons l'exemple du** Mont Blanc, du Machu Pichu ou de l'Île de Pâques qui limitent le nombre de visiteurs. Cette limitation a pour effet de faire grimper les prix et donc de donner l'accès uniquement aux plus riches ce qui représente une profonde injustice. Ainsi, **je suis en faveur** de mesures radicales car **à mon sens**, ce sont les plus efficaces et les plus justes.

b. Classez les expressions en gras dans le texte.

Exprimer son point de vue : c'est évident, ...

Argumenter son point de vue : D'abord, parce que, ...

Anticiper les contre-arguments : Certes… Mais, ...

Justifier son point de vue avec un exemple : ....

Production écrite

13. Donnez votre avis sur une tendance actuelle. Utilisez des expressions de l'activité 12b.

Tendance

Binge-watcher est-il dangereux ?

Après la dépendance aux jeux vidéo ou au smartphone, une nouvelle sorte d'addiction voit le jour : celle à Netflix.

Approche interculturelle

14. Des traditions françaises font partie du patrimoine culturel immatériel de l'UNESCO.

Le repas gastronomique des Français

Le gwoka : des musiques, chants et danses de Guadeloupe

Les fêtes du feu du solstice d'été dans les Pyrénées

Le savoir-faire de la dentelle au point d'Alençon

Le compagnonnage : un réseau de transmission des savoirs et des identités par le métier

a. Connaissez-vous ces traditions ?

b. Y a-t-il des traditions de votre pays qui font partie de la liste du patrimoine culturel immatériel de l'UNESCO ? Lesquelles ?

c. Quelles traditions souhaiteriez-vous ajouter ? Pourquoi ?

Nous nous construisons une culture commune

Compréhension écrite

1 Vous lisez cet article sur un site culturel français.

Prenant cette fois-ci des allures de roman policier, *Couleurs de l'incendie*, la suite tant attendue d'*Au revoir là-haut* s'attaque aux années 1930.

Ambitieux, l'auteur Pierre Lemaitre a commencé à réécrire un siècle (1920-2020) comme une fresque balzacienne[1] dans laquelle tout serait vrai sans être obligatoirement exact. Le premier tome, *Au revoir là-haut*, qui avait obtenu le prix Goncourt* en 2013, examinait un nouveau monde capitaliste après la Grande Guerre française de 1914-1918. Le deuxième tome, *Couleurs de l'incendie*, est une affaire de vengeance, celle d'une femme qui a presque tout perdu, mais reste obstinée jusqu'à la manipulation. Dans ce roman, il est en effet question de trahisons orchestrées par les banquiers et les politiques. La crise de 1929 avance à grands pas, le nazisme commence à ronger l'Europe, mais au cœur du roman se tient Madeleine, une femme qui perd tout et remonte l'escalier marche après marche, tout en refermant un piège sur ses ennemis les plus cupides[2].

Couleurs de l'incendie s'ouvre sur les obsèques de Marcel Péricourt – le père d'Édouard Péricourt, l'un des deux personnages principaux d'*Au revoir là-haut* –, dont l'empire financier revient logiquement à sa fille, Madeleine, et au jeune fils de celle-ci, Paul. Tout semble réglé et officiel mais, en quelques heures, Madeleine est ruinée, seule avec un enfant handicapé. Après une ouverture digne d'un grand scénographe, Pierre Lemaitre secoue et interpelle son lecteur, pour mieux l'entraîner dans ce voyage au pays de la finance et du complot.

Le plaisir est permanent, dans ce roman qui comporte étonnamment beaucoup d'humour. Tous les personnages, particulièrement les traîtres, sont délicieusement interprétés par un auteur qui sait mêler la documentation historique, les références littéraires et la pure création. Grâce à sa grande pratique du roman policier, Pierre Lemaitre a conservé un rythme très affirmé ainsi qu'une construction bien définie, et de ses lectures classiques, une liberté avec l'Histoire et une joyeuse endurance. Le résultat est parfaitement dosé, aussi vif que profond, avec ses haines et ses instants lumineux. Pierre Lemaitre a déjà en tête le troisième volume, situé dans les années 1940, et envisage d'aller jusqu'au tome dix...

*Prix Goncourt : prix littéraire français.

D'après www.telerama.fr

1. fresque balsacienne : référence à l'écrivain du 19e siècle Honoré de Balzac qui, dans son œuvre (*La Comédie humaine*, 26 tomes), cherchait à dépeindre la société réelle à travers de nombreux personnages de fiction.

2. cupide : intéressé par l'argent.

Répondez aux questions.

1. À quelle époque se situe le roman *Couleurs de l'incendie* ?

....

2. Dites si les affirmations suivantes sont vraies ou fausses en cochant (x) la case correspondante et citez le passage du texte qui justifie votre réponse.

    a. Le roman *Couleurs de l'incendie* est tragique du début à la fin.   ☐ Vrai ☐ Faux

....

    b. Le premier tome avait eu peu de succès auprès des critiques littéraires.   ☐ Vrai ☐ Faux

....

3. Qu'est-ce que les romans policiers ont apporté à Pierre Lemaître ?

4. Le journaliste qui écrit l'article sur le roman *Couleurs de l'incendie est*…
   a. déçu.   **b.** surpris.   **c.** conquis.

Compréhension orale

2 🎧 ▸026 **Vous écoutez une émission sur une chaîne francophone. Répondez aux questions.**

1. D'où viennent les idées du scénario de la série « C'est la vie » ?

2. Quelle thématique Alexandre Rideau traite-t-il principalement dans ses productions ?

3. En quoi la série « C'est la vie » aide-t-elle à faire changer les mentalités ?

4. Dans quel but Alexandre Rideau demande-t-il conseil aux chefs de village ?

5. D'après le reportage, quel enjeu est également présent dans la série « C'est la vie » ?
   a. Le secret médical.   **b.** Le droit des femmes.   **c.** L'importance des études.

6. Selon Awa Djiga Kane, quel rôle les jeunes peuvent-ils jouer dans la vie réelle ?

7. « C'est la vie » est une série…
   a. engagée.   **b.** historique.   **c.** humoristique.

Production orale

3 Un loto du patrimoine a été organisé afin que chacun puisse participer au financement de la rénovation de sites et de bâtiments historiques français. Vous débattez des avantages et inconvénients de cette initiative avec un ami et lui donnez votre opinion à ce sujet. (3-4 minutes)

Production écrite

Un site internet de passionnés de cinéma propose la question suivante :

Quel est votre acteur préféré ? Pourquoi l'admirez-vous ? A-t-il eu un impact sur votre vie ou sur la société ?

Vous écrivez un texte, dans lequel vous présentez un acteur ou une actrice que vous admirez particulièrement. Vous décrivez son parcours, vous insistez sur ce qu'il/elle représente pour vous et parlez de l'impact qu'il/elle a eu sur votre vie ou sur la société. (250 mots minimum)

DOSSIER **4** > Leçons **1** et **2**

Nous nous évaluons

> Décrire et commenter une actualité technologique
> Questionner les avantages et les inconvénients d'une technologie

1. Lisez l'article de presse. Faites les activités. Vérifiez votre score p. 12 du livret.

TENDANCE 2.0

Le « cloud » ou « nuage informatique », on en parle partout ! Il devient de plus en plus important dans les entreprises, et les particuliers commencent à le connaître sous la forme de services de stockage à distance ou encore de streaming. Pourtant, cette technologie reste mystérieuse pour le grand public.

C'est une sorte de gigantesque mémoire informatique capable de contenir tout type de document et accessible par Internet. Il sert à accéder à des données depuis n'importe quel endroit équipé d'une connexion Internet, à les partager et à les sauvegarder. On l'utilise tous depuis longtemps, sans le savoir. Notre messagerie électronique, par exemple, c'est du cloud : les méls sont stockés sur un serveur puis copiés sur notre ordinateur pour pouvoir les consulter. De nouveaux services apparaissent chaque année : agenda, carnet d'adresses, fichiers professionnels, photos, vidéos… Les solutions pour les particuliers et les entreprises s'appellent aujourd'hui SkyDrive, iCloud, Google Drive, Dropbox…

Techniquement, nos données sont mieux protégées dans le nuage où elles sont sauvegardées sur plusieurs serveurs que sur un ordinateur personnel qui n'est pas infaillible. D'autre part, les prestataires du cloud doivent s'engager par contrat à respecter la confidentialité des données et sont tenus depuis mai 2018, à se conformer au *Règlement général sur la protection des données* (RGPD). Quelques questions persistent pourtant sur la sécurité. Le cloud n'est pas épargné par le piratage. Il est donc important de faire de la sécurité du cloud une priorité pour son entreprise en utilisant une application de sécurité qui empêchera le trafic Internet malintentionné d'atteindre ses serveurs et son réseau.

a. Choisissez un titre pour cet article.

☐ Les dangers du nuage informatique

☐ Ce qu'il faut savoir sur le nuage informatique

☐ Sauvegarder ses données avec le cloud

b. Associez un thème à chaque paragraphe.

Paragraphe 1 •

Paragraphe 2 •

• La protection des données

• Les failles du système

• La définition du cloud

• Le succès du nuage informatique

c. Rédigez les deux questions formelles de l'article auxquelles répondent le paragraphe 1 et le paragraphe 2.

1. ....

2. ....

d. Parmi ces fonctions, entourez celle qui ne concerne pas le cloud.

stocker les mails

empêcher le piratage des données

conserver des données personnelles

stocker des films, de la musique, des vidéos

e. Vrai ou Faux ? Répondez et justifiez avec un extrait de l'article.

1. Le cloud présente un avantage par rapport au stockage sur un ordinateur personnel. ☐ Vrai ☐ Faux

Justifiez : ....

2. Il est illégal pour un prestataire du cloud de diffuser des données personnelles. ☐ Vrai ☐ Faux

Justifiez : ....

3. Le cloud est infaillible. ☐ Vrai ☐ Faux

Justifiez : ....

4. Il n'existe pas de solution pour protéger son cloud des actes de malveillance informatique. ☐ Vrai ☐ Faux

Justifiez : ....

Mon score ...... /10

Commenter une évolution sociétale liée aux technologies

2. Écoutez l'émission de radio. Faites les activités. Vérifiez votre score p. 13 du livret.

a. 🎧 ▸027 Écoutez la première partie de l'émission. Puis complétez sa présentation.

CETTE SEMAINE

Un reportage à ne pas manquer !
L'instant médias vous propose cette semaine un reportage sur
.... (1). Notre journaliste
mène l'enquête dans .... (2)
et notamment au .... (3).
Il donne la parole à Cathy Closier qui est .... (4).

b. Vrai ou faux ? Répondez et justifiez avec un extrait de l'émission.

1. *Season* est devenu immédiatement l'un des restaurants préférés des instagrameurs parisiens. ☐ Vrai ☐ Faux

Justifiez : ....

2. Cathy Closier a toujours tenu ce genre de restaurant. ☐ Vrai ☐ Faux

Justifiez : ....

3. Cela fait quelques années qu'elle a fondé le restaurant *Season*. ☐ Vrai ☐ Faux

Justifiez : ....

4. Cathy Closier connaissait depuis longtemps les influenceurs. ☐ Vrai ☐ Faux

Justifiez : ....

c. 🎧 ▸028 Écoutez la deuxième partie de l'émission. Indiquez quels sont les signes du succès de *Season*.

☐ Le nombre d'abonnés au compte Instagram de *Season*

☐ Le nombre de plats commandés chaque jour

☐ L'adaptation de la carte du restaurant à la clientèle

☐ Le changement de décoration

☐ L'embauche de personnel

d. Expliquez en quoi Instagram modifie notre rapport au réel.

....

....

....

Mon score ...... /10

Nous pratiquons > GRAMMAIRE

Poser des questions : la question par inversion

3. a. Mettez les mots dans l'ordre pour former des questions par inversion.

1. un mot de passe / - / compliqué / il / sûr / être / doit / être / pour

.... ?

2. est / - / se connecter / Internet / pas / n' / risqué / de / il / sur / un réseau public

.... ?

3. -t- / ciblée / comment / fonctionne / la publicité / elle

.... ?

4. intérêt / -t- / à / quel / publier / sociaux / de / on / des photos / soi / les réseaux / sur / trouve

.... ?

5. sociaux / ont / notre société / ils / des conséquences / les réseaux / sur / - /positives

.... ?

6. -t- / informatique / un système / existe / infaillible / soit / totalement / qui / il

.... ?

b. Par deux. Posez ces questions à un(e) camarade. Il/Elle y répond.

4. 🎧 029 Écoutez les questions. Réécrivez-les dans un registre soutenu.

1. ....
2. ....
3. ....
4. ....
5. ....
6. ....

5. Lisez les réponses. Écrivez la question inversée portant sur la partie soulignée.

1. On n'aura jamais la garantie que nos informations personnelles sont entièrement protégées sur Internet.

→ ....

.... ?

2. Ils publieront leur publicité sur Instagram.

→ .... ?

3. Il a posté une photo des enfants sans l'autorisation des parents pour faire la promotion de ses cours d'arts plastiques.

→ ....

.... ?

4. Non, il ne pensait pas vraiment que ce réseau était sécurisé.

→ .... ?

5. Si, il existe des risques d'usurpation d'identité avec la reconnaissance faciale.

→ .... ?

6. Ils ont eu accès à ces informations confidentielles en piratant les comptes Facebook des utilisateurs.

→ ....

.... ?

> Exprimer la durée

6. Complétez les phrases avec les expressions de durée : depuis – cela fait – il y a – dans

1. Cette application française de méditation existe .... quelques années déjà.

2. Gilles s'est connecté à un réseau social pour la première fois .... cinq ans. Avant, il n'en comprenait pas l'intérêt.

3. .... l'ouverture de mon compte Instagram, je constate que j'ai beaucoup plus de clients dans mon magasin.

4. .... trois mois que ce café culturel est ouvert et il a déjà un record de *likes* sur Facebook.

5. .... vingt ans, je suis sûre que les gens attacheront moins d'importance aux réseaux sociaux.

6. .... quelques mois, mon compte Facebook a été piraté. Je ne me suis pas connectée .... cet incident.

7. 🎧 ▶030 **Écoutez des informations sur les réseaux sociaux. Reformulez chaque information avec la bonne expression de durée entre parenthèses.**

1. (Cela fait… que / Pendant) ....

2. (En / Dans) ....

3. (Depuis / Pour) ....

4. (Il y a / Depuis) ....

5. (Pendant / Pour) ....

6. (Depuis / Pendant) ....

Nous pratiquons > MOTS ET EXPRESSIONS

> Les préfixes négatifs pour former certains adjectifs

8. Barrez l'intrus. Justifiez votre réponse.

1. pénétrable / possible / actif ....

2. légal / faillible / submersible ....

3. honnête / favorable / bien intentionné ....

4. régulier / légitime / réel ....

5. prévu / agréable / activé ....

6. logique / limité / remédiable ....

9. a.Complétez le questionnaire avec les adjectifs contraires.

Les nouvelles technologies et vous !
❶ La disparition des téléphones fixes vous semble…
☐ réalisable ☐
❷ Le débat que suscite la reconnaissance faciale est…
☐ intéressant ☐
❸ Les inquiétudes liées à la protection des données personnelles sont…
☐ logiques ☐
❹ Sur votre smartphone, le wi-fi est toujours…
☐ activé ☐
❺ La publicité ciblée est…
☐ efficace ☐
❻ Par rapport à la vie privée, les réseaux sociaux sont…
☐ respectueux ☐

b. Par deux. Répondez au questionnaire.

10. Reformulez les phrases avec un adjectif formé avec un préfixe négatif.

Exemple : *Les possibilités d'utilisation du big data sont sans limite.*
→ *Les possibilités d'utilisation du big data sont illimitées. / Le big data présente des possibilités d'utilisation illimitées.*

1. Tous les systèmes informatiques sont faillibles.

....

2. Mon serveur a été piraté… Ce n'est pas légitime.

....

3. Une personne qui a de mauvaises intentions pourrait se connecter à ton compte !

....

4. Ce projet de reconnaissance faciale dans les aéroports ne me semble vraiment pas admissible.

....

5. La connexion Internet est vraiment trop mauvaise ici : aucune possibilité de travailler !

....

6. Je ne supporte plus que tu sois sans arrêt sur Facebook !

....

7. La fonction géolocalisation n'est pas activée sur mon smartphone.

....

8. Imaginer une connexion sécurisée pour tout le monde n'est pas réaliste.

....

Parler des nouvelles technologies et des réseaux sociaux

11. Complétez l'article avec les mots de la liste. Plusieurs réponses sont possibles.

des fonctionnalités • application (x2) • comptes • mots de passe • numérique • sauvegarder •
un réseau • la sécurité • des bases de données • la protection • utilisateurs

---

inforadiomonde.fr   Jamais le même mot de passe !

À l'occasion du Mois européen de la cybersécurité, nous nous interrogeons sur la protection de notre identité .... (1). 150-200, c'est le nombre moyen de .... (2) que chacun de nous doit retenir aujourd'hui. Impossible : on les oublie, on choisit toujours les mêmes. C'est une erreur ! Emmanuel Granier est le fondateur de l'.. (3) SécuPass. Selon lui, un bon mot de passe est un mot de passe unique pour que personne n'accède à vos .... (4) en cas de vol. SécuPass est une .... (5) de gestion des mots de passe. Elle permet de .... (6) de manière sûre tous nos mots de passe et de les utiliser sans avoir à les retenir un par un. Elle garantit .... (7) de ses utilisateurs et .... (8) des données personnelles : celles-ci sont sécurisées grâce à un mot de passe principal auquel vous seul avez accès. Avec sa nouvelle version, SécuPass présente .... (9) supplémentaires. Elle propose par exemple de surveiller les adresses méls de ses .... (10), de les alerter si elles apparaissent dans .... (11) et de sécuriser l'accès à Internet sur .... (12) public.

Nous agissons

Stratégie : Rendre compte d'une inquiétude sur un sujet d'actualité

12. a. Lisez l'article.

> **Débat.fr**
>
> Une nouvelle fonctionnalité de Facebook permet de lancer des pétitions
>
> Facebook propose à ses utilisateurs américains de lancer des pétitions directement sur le réseau social, et de taguer les personnes à qui elles sont adressées. Avec cette nouvelle fonctionnalité, Facebook espère enrayer la baisse de popularité de sa plateforme, mais suscite de vives inquiétudes. Cette fonctionnalité ne comporte-t-elle pas des risques liés à la confidentialité des opinions politiques ? La vie privée des utilisateurs pourrait-elle être menacée ? Certains, en effet, accueillent avec méfiance cet outil qui pourrait permettre à Facebook d'en savoir encore plus sur les opinions politiques de ses utilisateurs. Quelle exploitation pourrait être faite des données si elles tombaient entre les mains de personnes malintentionnées ? Cette interrogation est plus que légitime. Après les scandales qui ont éclaboussé le réseau social de Mark Zuckerberg en 2018, la question de la protection de ces données et de l'utilisation qui en sera faite sera cruciale. Facebook pourrait également voir apparaître de nombreuses pétitions en faveur de causes douteuses et être rapidement débordé dans leur modération. Pour éviter de telles dérives, Facebook entend, dans un premier temps au moins, limiter ses « *community actions* ».

b. Cochez les procédés utilisés pour rendre compte d'une inquiétude et donnez un exemple tiré du texte.

☐ Expression pour parler de quelque chose qui inquiète
Exemple : ....

☐ Implication du lecteur
Exemple : ....

☐ Expression pour justifier une inquiétude
Exemple : ....

☐ Question envisageant les risques potentiels
Exemple : ....

☐ Opinion de l'auteur
Exemple : ....

☐ Conditionnel pour parler d'une situation hypothétique
Exemple : ....

Production écrite

13. Lisez le lancement du forum sur la technologie RFID sous-cutanée. Postez un commentaire dans lequel vous faites part de vos inquiétudes. Utilisez les procédés de l'activité 12.

> **Forum Innovation**
>
> **La démocratisation de la puce électronique sous-cutanée dans les entreprises**
>
> Un implant RFID peut remplacer une carte d'accès et faciliter les déplacements au sein de l'entreprise. Il peut également être utilisé pour le paiement de la cantine, prendre un billet de train ou encore transmettre des données comme une carte de visite.
>
> Que des avantages ? Pas de risques ? Qu'en pensez-vous ? Nous attendons vos commentaires.

Approche interculturelle

14. 🎧 ▶031 Écoutez l'introduction d'une émission de radio française et répondez aux questions.

a. Que pensez-vous du compteur *Linky* ?

b. Ce type de produit existe-t-il dans votre pays ? Suscite-t-il un tel débat ?

DOSSIER **4** > Leçons **3** et **4**

Nous nous évaluons

Développer un point de vue

1. **Lisez l'article d'un magazine scientifique. Faites les activités. Vérifiez votre score p. 14 du livret.**

---

sciencesmagazine.fr

Jeux vidéo : des bienfaits sur notre cerveau ?

Beaucoup d'études ont montré les effets négatifs des jeux vidéo : l'addiction, la violence, l'apparition de pathologies mentales graves, une baisse de la mémoire spatiale… Or, de récentes études dans le domaine des neurosciences démontrent les bienfaits de cette activité sur le cerveau. Nous interrogeons à ce sujet un psychologue ayant participé à l'élaboration de *Fortnite*, ce jeu au succès mondial.

Quel est le rôle d'un psychologue dans la conception d'un jeu vidéo ?

Grâce à mes connaissances sur l'intelligence humaine, j'aide les concepteurs à comprendre les problèmes que pourraient rencontrer les joueurs : nous voulons être sûrs qu'ils vont s'amuser, vont s'intéresser rapidement au jeu. Car s'ils ne comprennent pas l'objectif du jeu ou bien s'ils s'ennuient, ils abandonneront la partie.

Quels sont les secrets d'un bon jeu vidéo ?

Selon moi, un bon jeu vidéo est un jeu dans lequel les joueurs trouvent l'expérience qu'ils recherchent. Par exemple, s'ils choisissent un jeu d'horreur, ils doivent avoir peur rapidement ! S'ils font le choix d'un jeu de stratégie, ils doivent entrer tout de suite dans un principe stratégique. C'est pour cela qu'un jeu d'action doit vite mettre en avant des scènes de combat opposant ennemis et amis.

Mais alors, les jeux vidéo ont-ils des bienfaits sur notre cerveau ?

Oui, bien sûr, car les jeux vidéo bien conçus conduisent naturellement à des apprentissages. Quand ils jouent, les joueurs expérimentent, ils ont un retour positif ou négatif sur leur performance (ils gagnent ou ils perdent). Ils apprennent par l'expérience. De plus, les jeux vidéo s'adaptent à chaque joueur et l'entraînent de manière à ce qu'il puisse réutiliser les compétences apprises au jeu dans la vie réelle. D'autre part, jouer aux jeux vidéo augmenterait les connexions de notre cerveau ! À force de jouer, on stimule certaines facultés telles que la prise de décision ou l'organisation, on développe ainsi sa mémoire et sa logique. Les jeux d'action, quand ils proposent des activités de rapidité par exemple, font travailler les réflexes. Donc, oui : quand on joue à un jeu, on apprend énormément de choses ! Les jeux vidéo n'ont pas que des conséquences négatives, bien au contraire !

---

a. **Lisez le chapeau de l'article. Identifiez et corrigez les trois erreurs dans le résumé suivant.**

De nouvelles études viennent confirmer la thèse selon laquelle les jeux vidéo présentent de nombreux méfaits,

....

notamment sur la socialisation. À ce sujet, un psychologue nous livre son point de vue en se basant

....

sur une étude du jeu vidéo *Fortnite*.

....

b. **Lisez l'article et répondez aux questions.**

1. Comment un psychologue aide-t-il les concepteurs d'un jeu vidéo ?

....

2. Selon le psychologue, pourquoi un jeu vidéo d'horreur qui ne provoquerait pas la peur chez le joueur ne serait-il pas un bon jeu vidéo ?

....

c. Complétez la liste des bienfaits des jeux vidéo sur les joueurs.

Quand vous jouez à des jeux vidéo, vous pouvez :

1. *apprendre en étant actif, en expérimentant*

2. ....

3. ....

4. ....

5. ....

6. ....

d. Choisissez trois bienfaits dans la liste. Imaginez une situation pour illustrer chaque bienfait.
Utilisez *si… que, tellement… que, tant de… que*.
Exemple : *1. Mon fils joue tellement aux jeux vidéo qu'il a une faculté d'apprentissage décuplée !*

....

....

....

> Mon score .... /10

Développer un raisonnement

2. 🎧▶032 Écoutez l'émission de radio. Faites les activités. Vérifiez votre score p. 14 du livret.

a. Répondez aux questions.

1. En quoi consiste la digital detox ?

....

2. Quel autre terme est utilisé pour parler de la digital detox ?

....

b. Retrouvez les informations sur les moyens de déconnecter.

Sur le plan professionnel

Loi : .... Initiative de certaines entreprises : ....

Sur le plan personnel

Type d'offre	Hôtel	Centre de bien-être	Application	Soirée « Nomo »
Descriptif				

c. Complétez le résumé sur la difficulté de déconnecter avec les connecteurs suivants :

c'est pour cela qu' • d'autant qu' • certes… mais… • puisque • or

Il est compliqué de faire seul une digital detox. .... il faut avoir des outils. Nous désirons nous déconnecter. .... l'envie d'être sans cesse connectés est bien présente. .... la déconnexion est difficile sur le plan personnel, il existe beaucoup d'offres pour se déconnecter. C'est facile à dire mais pas à faire. .... on est tenté sans cesse. .... faire une digital detox, c'est bien ...., le plus difficile, c'est de continuer après.

d. À quoi la conclusion fait-elle référence ? Expliquez avec vos propres mots.

....

....

Exprimer la cause et la conséquence

3. 🎧 ▶033 **a.** Écoutez la revue de presse sur les évolutions liées aux réseaux sociaux. Pour chaque évolution, cochez la nature de la cause.

Évolution	Nature de la cause				
	Neutre	Positive	Négative	Qui se répète	Présentée comme connue de l'interlocuteur
Exemple				X	
1.					
2.					
3.					
4.					
5.					
6.					

b. Réécoutez la revue de presse. Puis reformulez l'information principale avec l'expression de conséquence entre parenthèses.

Exemple : *(tellement… que…) Les 16-24 ans regardent tellement les écrans qu'ils ont une vue de plus en plus mauvaise.*

1. (c'est la raison pour laquelle) ....

2. (donc) ....

3. (tant de… que…) ....

4. (c'est pour cela que) ....

5. (alors) ....

6. (c'est pourquoi) ....

4. Complétez avec une expression de conséquence de la liste. Plusieurs réponses sont possibles.

donc • c'est pour cela • c'est la raison pour laquelle • alors • c'est pourquoi

Les seniors et les réseaux sociaux

Nous avons tendance à penser que les réseaux sociaux sont réservés aux plus jeunes.

Détrompez-vous : aujourd'hui près de la moitié des plus de 65 ans sont inscrits sur les

réseaux sociaux ! .... (1) nous nous interrogerons dans ce dossier sur

l'impact des réseaux sociaux sur le quotidien des seniors. Facebook, pour ne citer que lui, nous a

ouvert la possibilité d'être ami avec le monde entier, d'être en lien. .... (2),

même s'ils ont quitté la vie active, les seniors peuvent retrouver avec Facebook une nouvelle vie

sociale. C'est un moyen de rester en lien avec le monde, ... (3)

il séduit cette tranche d'âge. L'un des enjeux des seniors est d'être capables de s'intégrer

socialement, comme lorsqu'ils étaient actifs. .... (4) qu'ils s'intéressent

aux réseaux sociaux. En effet, en plus d'échanger des nouvelles avec leurs amis et leur famille,

les réseaux sociaux leur permettent de se familiariser avec les outils numériques : ils tentent

.... (5) de maîtriser la technologie, et même s'ils n'utilisent pas toutes

les fonctions mises à disposition par les réseaux sociaux, nous verrons qu'ils s'en sortent très bien.

5. Écrivez les définitions en insistant sur l'intensité des conséquences. Utilisez *si, tellement (de)* ou *tant (de) … que*.

Petit lexique des maux de l'accro au smartphone

Exemple : *Un nomophobe : une personne extrêmement dépendante de son téléphone → elle a peur d'en être privée.*
Une personne si dépendante de son téléphone qu'elle a peur d'en être privée.

1. Les smombies : piétons qui ont les yeux rivés à leur écran de smartphone → ils en oublient leur propre sécurité et celles des autres.

....

2. Le FOMO : quelqu'un qui a vraiment peur de manquer un événement dont on parle sur les réseaux sociaux → il est incapable de se déconnecter.

....

3. Le bovarysme digital : beaucoup de choses sont postées sur les réseaux sociaux → certaines personnes ont l'impression de vivre une vie banale à côté de celle des autres.

....

4. La textonite : certains écrivent de nombreux textos ou chattent beaucoup → cela crée une douleur dans les doigts, les mains ou les bras.

....

5. La vibration fantôme : on est très habitué à sentir vibrer son téléphone → on a l'impression de le sentir vibrer tout le temps.

....

6. Autres signes d'addiction : certaines personnes consultent trop leur smartphone → elles ne sont plus capables d'accomplir une tâche au travail.

....

6. Par deux. À l'oral. Utilisez une expression de cause et une expression de conséquence pour mettre en avant les bienfaits ou les risques des nouvelles technologies suivantes.

Le casque de réalité virtuelle

Le drone

Les productions culturelles (musiques, romans) créées par des algorithmes

L'imprimante 3D

Nous pratiquons > MOTS ET EXPRESSIONS

Le préfixe *re-* pour indiquer un retour à un état antérieur ou une répétition

7. Imaginez un retour à une vie sans Internet ni smartphone. Que feraient les gens ? Complétez la liste en utilisant des termes construits avec les préfixes *re-* ou *ré-*.

1. Ils reprendraient l'habitude de noter les choses sur un agenda papier plutôt que sur leur agenda numérique.

2. ....

3. ....

4. ....

5. ....

8. Ponctuez les billets d'opinion et ajoutez les majuscules nécessaires.

a. Signes de ponctuation à utiliser : 3 x . – ? – 2 x ! – ( ) – « – »

tout commence avec un tweet écrit à partir d'un compte comptant un abonné un seul quelle audience Twitter accordera-t-il à ce premier tweet la réponse est probablement aussi complexe que l'algorithme qui dirige le destin de ce post ce premier tweet décroche un RT retweet de la @cinemathequech et 5 mentions j'aime c'est l'envol

....

....

....

....

b. Signes de ponctuation à utiliser :. – , – : – ( )

l'expérience client devient un réel atout commercial car il n'y a pas meilleurs ou pires ambassadeurs que les clients ce sont bel et bien eux qui publient fièrement une belle photo de leur fondue dans un restaurant typique sur les médias sociaux

....

....

....

9. Entourez les connecteurs logiques corrects dans l'article sur l'essai du philosophe Éric Sadin.

L'intelligence artificielle ou l'enjeu du siècle

Les objets intelligents envahissent depuis quelques années notre quotidien et ont un immense succès auprès du grand public car ils facilitent la vie. **Or / En effet** (1), selon Éric Sadin, ces nouveaux dispositifs influencent trop nos décisions : **de ce point de vue / certes** (2), l'intelligence artificielle attire par ses capacités (on a vu récemment des algorithmes plus performants que des médecins pour repérer des cancers de la peau) **mais / ainsi** (3) elle ne doit pas contrôler nos comportements. **En effet / Certes** (4), elle change notre rapport au réel et elle organise chaque moment de notre quotidien. Elle pourrait **ainsi / d'autant qu'** (5) à l'avenir conditionner totalement nos choix, nos comportements et nos vies. **Même si / De ce point de vue** (6), l'intelligence artificielle semble être quelque chose de dangereux. Pour Éric Sadin, depuis le début des années 2010, les technologies numériques ne sont plus seulement des outils pour collecter, classer, stocker et manipuler de l'information. **En fait / Ainsi**, (7) elles sont devenues des outils de connaissance précise du réel. Par exemple Waze, le logiciel de géolocalisation qui indique l'état du trafic, c'est de l'intelligence artificielle ! Il a la pleine confiance du conducteur même **s' / d'autant qu'** (8) il gère en temps réel les informations envoyées par les autres conducteurs. **Même si / Mais** (9) chacun est libre d'utiliser ces informations ou non, Waze influence nos décisions.

10. 🎧⏸034 **a.** Écoutez chaque liste. Retrouvez les deux intrus.

Exemple : *[y] – [u] : autonome – justement – booster – gracieusement – suffisamment – réapparu*
→ *autonome – gracieusement*

1. **[ø] – [œ]** → .... – ....

2. **[o] – [ɔ]** → .... – ....

3. **[y] – [ø]** → .... – ....

4. **[o] – [u]** → .... – ....

b. Réécoutez l'enregistrement pour vérifier et répétez les mots de chaque liste.

Nous agissons

Stratégie : Structurer un billet d'opinion

11. Lisez le billet d'opinion.

Pourquoi faudrait-il absolument se déconnecter pendant les vacances ?

On parle d'hyperconnexion numérique quand on reste connecté plus de trois heures par jour à Internet. 67 % des Français déclarent ne pas pouvoir se passer de leurs outils connectés dans leur vie quotidienne. Et, d'après de récentes études, ce phénomène ne semble pas s'arrêter durant les vacances... Est-ce grave, docteur ?

Non, non et non. D'abord, selon moi, il y a un problème pratique dans la déconnexion : les outils numériques aident à régler de nombreux soucis estivaux tels que la réservation des hôtels, la consultation d'horaires ou le paiement de factures ! Ensuite, je trouve que la déconnexion estivale, c'est un luxe que peuvent se payer ceux qui partent en vacances dans les meilleures conditions. En effet, il est beaucoup plus compliqué de s'offrir ce luxe quand on n'est pas sûr d'avoir un travail à la rentrée, quand on a peur qu'on vous bloque votre compte en banque... Et puis, il faut avouer que ceux qui sont pour la déconnexion nous font culpabiliser, et c'est parfois agaçant.

Il ne faut pas vivre la déconnexion comme une obligation morale et culpabilisante. Mon conseil ? Faites comme bon vous semble ! N'écoutez pas les bien-pensants, ils sont tout aussi accro que vous... Profitez de votre été ! Que ce soit avec ou sans écran, veillez surtout à prendre du plaisir !

a. Associez les procédés aux intentions de l'auteur. Soulignez un exemple pour chacun dans le billet d'opinion.

1. On cite des faits, des études, des chiffres.
2. On s'implique personnellement.   • donne des informations
3. On utilise l'impératif ou une expression de la nécessité.
4. On utilise des connecteurs pour la progression logique du discours.
5. On définit un concept, une idée.   • argumente
6. On donne des exemples pour appuyer une idée.
7. On implique le destinataire.
8. On utilise des expressions de l'opinion, du jugement.   • interpelle le lecteur
9. On joue avec la ponctuation pour soutenir le ton.

b. Écrivez le numéro du paragraphe correspondant à chaque type de texte.

Texte injonctif → n°............ Texte argumentatif → n°............ Texte explicatif → n°............

Production écrite

12. Lisez l'appel à contribution posté par un magazine. Répondez-y sous la forme d'un billet d'opinion.

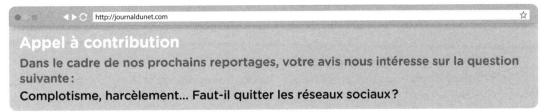

http://journaldunet.com

Appel à contribution

Dans le cadre de nos prochains reportages, votre avis nous intéresse sur la question suivante :

Complotisme, harcèlement... Faut-il quitter les réseaux sociaux ?

Approche interculturelle

13. 🎧�))035 Écoutez la chronique radio et répondez aux questions.

a. Quel est le thème de la chronique ?

b. Quel est le but du dispositif utilisé par l'humoriste Florence Foresti ? Comment fonctionne-t-il ?

c. Ce genre de dispositif a-t-il déjà été utilisé dans votre pays ? Échangez sur les interdictions du téléphone portable dans votre pays.

Nous vivons avec les nouvelles technologies

Compréhension écrite

1 Vous lisez cet article dans un journal français.

Comment l'intelligence artificielle entre peu à peu dans le monde de l'éducation en France

À l'heure où l'intelligence artificielle (IA) gagne tous les secteurs, les robots n'ont pas encore tout à fait conquis l'école française. Des partenariats de financement existent déjà pour la recherche et le développement de projets innovants pour l'apprentissage de certaines matières à l'école. La mise en place de l'intelligence artificielle n'est cependant pas évidente car elle nécessite de très gros investissements. Les champions actuels de l'IA se trouvent surtout de l'autre côté de l'Atlantique, aux États-Unis. Mais petit à petit, les start-up françaises commencent à se positionner sur le secteur de l'apprentissage grâce à ces nouvelles technologies.

Une application web française permet par exemple déjà à de nombreux élèves de personnaliser leur apprentissage de la lecture, en s'adaptant au rythme de l'enfant, grâce à l'apprentissage adaptatif. Car la personnalisation est le principal intérêt de l'intelligence artificielle dans le domaine de la formation. De quoi permettre d'éviter le décrochage scolaire[1], tout en faisant encore progresser les plus performants. Il existe également une application d'entraînement à l'orthographe pour adultes, qui a obtenu un grand succès dès son lancement. Une entreprise travaille également sur des contenus qui permettent de travailler à la fois sur l'apprentissage adaptatif (sélection des contenus et des ressources en fonction du niveau de connaissance et du type d'intelligence – visuelle ou non par exemple – de l'utilisateur) et sur l'ancrage mémoriel (invitation à la répétition pour mieux mémoriser les contenus). Une autre structure se base par ailleurs sur les sciences cognitives, en évaluant le rapport à l'erreur des élèves grâce à l'intelligence artificielle. Les mécanismes d'apprentissage sont expliqués à chaque élève, car des études ont en effet montré que la métacognition[2] stimule les processus d'acquisition. L'élève sera aussi par exemple invité à laisser reposer une leçon avant d'y revenir pour plus d'efficacité.

Des établissements ont par ailleurs recours à l'intelligence artificielle pour optimiser leurs formations. « Un certain nombre de données, comme le nombre de pages consultées, l'avancement des projets…, nous permettent de définir la probabilité qu'un étudiant réussisse sa formation », explique Mathieu Nebra, fondateur d'OpenClassrooms, école de formation en ligne qui délivre des formations diplômantes dans plus d'une centaine de pays.

D'après lefigaro.fr

1. décrochage scolaire : arrêt de l'école avant la fin du parcours scolaire.
2. métacognition : processus par lequel un élève prend conscience de ses capacités de compréhension et d'acquisition des connaissances.

Répondez aux questions.

1. Pourquoi l'intelligence artificielle intègre-t-elle difficilement le secteur de l'éducation en France ?

....

2. Dites si l'affirmation suivante est vraie ou fausse et justifiez votre réponse.

L'application numérique sur la lecture favorise les meilleurs élèves. ☐ Vrai ☐ Faux

....

3. Sur quoi s'appuie l'entreprise numérique qui travaille sur le rapport à l'erreur ?

....

4. Pourquoi est-il important de donner des explications aux élèves sur leurs erreurs ?

....

5. Il est conseillé aux élèves…

    a. de réviser la leçon le lendemain.   c. d'apprendre la leçon juste après le cours.

    b. de mémoriser la leçon en une seule fois.

Compréhension orale

2   ◖◗)036 **Vous écoutez le reportage suivant à la radio. Répondez aux questions.**

1. Quelle est la spécificité de la cantine du lycée Saint-Joseph ?

....

2. Quels sont les avantages de l'initiative décrite dans le reportage ? *(Trois réponses attendues.)*

....

3. Les élèves interviewés apprécient…

    a. d'avoir peu d'attente le midi.   b. de payer moins cher leur repas.   c. de sélectionner eux-mêmes les plats.

4. Que constate Philippe Descamps concernant le nombre d'élèves à la cantine ?

....

5. Le personnel de cuisine…

    a. prépare à l'avance une sélection de produits.

    b. prévoit une quantité importante de produits.

    c. ajuste la quantité de plats produits aux commandes.

Production orale

3   Vous discutez avec un ami qui est effrayé par la place que les nouvelles technologies et en particulier les écrans occupent dans notre vie quotidienne. Vous essayez de le rassurer en lui expliquant les avantages de ces outils numériques, tout en prenant en compte les inconvénients qu'ils peuvent impliquer, à l'aide d'exemples précis.

Production écrite

4   Vous lisez cet appel à témoignages sur un site d'actualités. Vous y répondez. (250 mots minimum)

Connaissez-vous la nomophobie ? Cette peur de ne pas avoir son smartphone avec soi ou de ne pas pouvoir accéder aux informations sur son téléphone ? Envoyez-nous vos témoignages sur votre expérience et votre opinion argumentée sur ce phénomène.

DOSSIER **5** > Leçons **1** et **2**

Nous nous évaluons

Vérifiez votre score p. 16 du livret.

Analyser un enjeu de société

1. 🎧)032 **Écoutez cet entretien avec Agnès Buzyn, ministre de la Santé, dans une émission de radio. Faites les activités. Vérifiez votre score p. 16 du livret.**

a. Répondez aux questions.

1. À quelle occasion la ministre de la Santé est-elle invitée dans cette émission de radio ?

....

2. Quel est le constat qu'elle fait concernant la consommation de médicaments en France ?

....

3. À quoi la politique menée par le gouvernement veut-elle inciter ? Pourquoi ?

....

....

b. Pour chaque catégorie, soulignez les termes entendus dans l'entretien.

1. Les personnes : un pharmacien, un prescripteur, un médecin, un patient, un infirmier.

2. Le système de santé : la Sécurité sociale, un hôpital, une assurance complémentaire de santé, rembourser.

3. Le traitement : un médicament, un effet secondaire, une contre-indication, un antibiotique, un générique, la pharmacopée.

c. Rédigez les phrases d'information permettant de mettre en valeur un élément.
Exemple : Négociation du prix de certains médicaments. → Le prix de certains médicaments est négocié.

1. Trop de consommation de médicaments en France dans le passé.

→ ....

2. Remboursement des génériques favorisé dès 2019.

→ ....

3. Importantes économies visées par la Sécurité sociale.

→ ....

d. Pendant l'entretien, le journaliste exprime une incompréhension peut-être partagée par certains Français. Expliquez-la et précisez la position de la ministre.

....

....

> Mon score ....../10

Prendre position sur un fait de société

2. Lisez les deux parties de l'article d'un quotidien. Faites les activités. Vérifiez votre score p. 17 du livret.

Dans le monde francophone, la France dernier héraut* de sa grammaire

*héraut : messager.

a. Comment comprenez-vous le titre de l'article ? Cochez la formulation la plus proche.

☐ 1. Dans le monde francophone, la France arrive en dernière position dans la préservation de la grammaire.

☐ 2. Dans le monde francophone, seule la France défend encore la langue française « pure ».

☐ 3. Dans le monde francophone, la France reste seule protectrice d'une grammaire conservatrice.

Si les pays francophones se sont emparés de l'écriture inclusive et des simplifications orthographiques, l'Hexagone résiste malgré les tentatives récurrentes d'évolution du français.

Les Belges ont dernièrement surpris les commentateurs français en faisant savoir qu'ils aimeraient pouvoir écrire « les crêpes que j'ai mangé » plutôt que « les crêpes que j'ai mangées », selon l'orthographe correcte en vigueur.

Cet exemple est symptomatique des demandes des citoyens, pressantes et répétées, de réviser la langue française, de la simplifier ou de la rendre plus « inclusive », en résumé : qu'elle soit plus progressiste. Il est nécessaire, selon eux, qu'elle s'adapte parce que son orthographe est supposée trop complexe, trop élitiste, et non appliquée et surtout, parce que les femmes n'y sont pas suffisamment prises en compte. En France, ce discours est porté par les milieux féministes, qui affirment qu'il est essentiel non seulement de simplifier l'orthographe, mais aussi de mettre en place l'écriture inclusive.

En réponse, deux positions se sont fait entendre : un éditeur a jugé bon qu'un manuel d'école primaire soit rédigé en utilisant l'écriture inclusive, tandis que l'Académie française, dès octobre 2017, s'insurgeait qu'on puisse adopter ce « péril mortel ». Récemment, et afin de repousser ce problème à une date ultérieure, le Premier ministre français a officiellement invité les administrations à ne pas utiliser les règles de l'écriture inclusive utilisant les tirets ou les points. Cette circulaire ministérielle a calmé le jeu mais il n'est pas certain que cela apaise les milieux sensibles à la cause féministe...

Pourtant, ces débats linguistiques répétés et passionnés sont assez loin des préoccupations dans les pays francophones. En Belgique, au Canada francophone ou en Suisse, hormis l'écriture avec un « point milieu » qui reste réservée à des cercles militants, la féminisation lexicale, qui fait toujours débat chez nous, progresse tranquillement. Elle a ainsi été encouragée dès 1979 par l'Office québécois de la langue française. Dès 2000, la Chancellerie fédérale suisse suggérait que l'on dise « mairesse » et non « maire », « cheffe » et non « chef », même si le débat n'est pas clos. Pour Paul Roux, conseiller linguistique à *La Presse* (quotidien canadien francophone), *« refuser pareille féminisation dans des sociétés qui valorisent l'égalité entre les femmes et les hommes est un combat d'arrière-garde. »*

b. **Soulignez les éléments corrects dans cette présentation de l'article.**

L'article traite *du thème de l'écriture inclusive / des réformes orthographiques / des changements apportés à la langue française* dans le monde francophone. Il semble que *le conservatisme / le progressisme / le réformisme* soit un aspect plus fort en France que dans les autres pays. Ainsi, les autorités *françaises / canadiennes / suisses / belges* ont souhaité les premières que les professions soient féminisées, même si rien n'est définitivement fixé, les autres ont ensuite plus ou moins adopté les mêmes modernisations. En ce qui concerne l'écriture inclusive, *le Québec a / les trois pays francophones ont / aucun pays n'a* pris la décision officielle de l'appliquer.

c. **Reliez les éléments des deux colonnes pour former des opinions puis attribuez-les aux acteurs du débat. Plusieurs réponses sont possibles.**

1. Il est dangereux •　　　• a. que les écrits officiels n'aient pas recours à l'écriture inclusive.

2. Il est courant •　　　• b. d'accepter officiellement l'écriture inclusive.

3. On est surpris •　　　• c. que certains veuillent réformer l'accord du participe passé.

4. On espère •　　　• d. que les noms de professions soient féminisés.

5. Il est souhaitable •　　　• e. que l'écriture inclusive sera généralisée.

L'Académie française : ....

Les militant(e)s féministes : ....

La France : ....

La Belgique : ....

La Suisse : ....

Le Canada francophone : ....

Mon score .... /10

La voix passive pour mettre en valeur un élément

3. 🎧038 Écoutez l'annonce des titres du journal. Associez-les à leur résumé et indiquez si l'annonce est à la voix active ou passive.

Annonce n°	Résumé de l'information	Voix active	Voix passive
	a. Un sommet décisif pour l'économie		
	b. Les films de la semaine		
	c. Un jugement attendu sur des comptes publics		
	d. Couvrez-vous et attention aux glissades !		
	e. La situation de l'emploi à l'automne		
	f. Un système de santé très social		

4. Formulez les faits d'actualité à la voix passive.

1. La loi de 1996 a donné au Parlement le droit de vérifier les comptes de la Sécurité sociale.

....

2. Le remboursement des activités sportives permettant de lutter contre les maux de dos sera prochainement discuté en commission parlementaire. ....

....

3. Les fabricants de médicaments influencent-ils trop ceux qui décident du remboursement des prescriptions ?

....

4. Nous examinons en ce moment la mise sur le marché d'un implant électronique et connecté pour simplifier la vie des personnes atteintes de diabète. ....

....

5. On pourrait imaginer un nouveau type de Carte vitale contenant l'ensemble des données médicales d'un patient.

....

6. Il est possible que les assurances privées remontent leurs tarifs en fonction des remboursements du système public.

....

5. Transformez les informations suivantes à la voix active ou à la voix passive selon la formulation initiale.

1. Ces vingt dernières années, les lois de financement de la Sécurité sociale ont été régulièrement modifiées.

....

2. Une commission de spécialistes examine régulièrement l'efficacité des médicaments remboursés par la Sécurité sociale.

....

3. Depuis quelques années, nous pouvons entendre des recommandations pour limiter la consommation d'antibiotiques.

....

4. Les médecins auraient également été invités par les autorités à prescrire une pharmacopée plus légère.

....

5. Dans le futur, on devrait consulter de moins en moins de médecins par soi-même du fait du parcours de santé contrôlé par le médecin traitant.

....

6. Au cours des prochaines années, les centres de santé généraliseront probablement les consultations à distance.

....

Différents emplois du subjonctif pour prendre position et exprimer une opinion

6. ⬤H039 **Écoutez des phrases entendues lors d'un micro-trottoir. Associez-les à ce qu'elles expriment et au mode verbal utilisé.**

1.
2.
3.
4.
5.
6.
7.
8.

- Jugement •
- Sentiment •
- Opinion •
- Doute •
- Volonté •
- Obligation •
- But •

- Indicatif
- Subjonctif

7. Réécrivez les affirmations avec les expressions indiquées.

1. Les linguistes français ont beaucoup plus de débats qu'ailleurs.

Il semble que ....

Il me semble que ....

2. La règle de l'accord de proximité peut être plus simple à utiliser que la règle actuelle.

J'imagine que ....

Imaginez-vous que .... ?

3. La complexité de la grammaire française fait partie de sa richesse.

Il est possible que ....

Il est probable que ....

4. Les déserts médicaux sont une réalité pour ceux qui vivent loin des villes.

La représentante trouve que ....

La ministre trouve choquant que ....

5. Les Français vont chez le médecin généraliste avant de consulter un spécialiste.

Le parcours de santé a été mis en place afin que ....

....

On limite désormais les visites médicales puisque ....

....

6. Le taux de remboursement des lunettes est de plus en plus élevé.

Vous espérez que .... ?

Vous exigez que .... ?

8. Réagissez aux affirmations de l'activité 7. Écrivez votre avis selon les valeurs proposées.

1. un jugement : ....

2. un doute : ....

3. une opinion : ....

4. un sentiment : ....

5. une obligation : ....

6. une volonté : ....

Parler de la santé

9. Barrez l'intrus dans chaque liste puis donnez un titre aux six groupes.

1. un(e) ambulancier(ère) – un(e) aide-soignant(e) – un(e) infirmier(-ère) – un service d'urgence – un(e) médecin généraliste/spécialiste – un(e) patient(e) → ....

2. une visite médicale – un examen – une analyse – une opération – un transport en ambulance – une perfusion

→ ....

3. un médicament – une consultation – l'homéopathie – un antibiotique – une médecine naturelle – la rééducation

→ ....

4. un kit de premier secours – une trousse de toilette – une armoire à pharmacie – un défibrillateur – une ordonnance – un tensiomètre → ....

5. attraper un virus – un symptôme – faire une réaction – recevoir une transfusion – une intolérance – souffrir d'une maladie chronique → ....

6. l'Assurance maladie – la mutuelle de santé – un hôpital – le diagnostic – être affilié(e) à un système de santé – une clinique → ....

10. Complétez l'histoire de Rosy avec des mots et des expressions de l'activité 9. Faites les modifications nécessaires.

Vu sur le web !

En 2010, Rosy est arrivée en France en tant qu'étudiante. Conformément à la législation française, elle .... (1) au système d'Assurance maladie des étudiants. À cette époque, comme elle n'avait pas beaucoup d'argent, elle a préféré garder son argent pour les loisirs plutôt que pour payer une .... (2) en cas de problème de santé coûteux. Un jour, elle a attrapé une .... (3) virale. Ce n'était pas grave mais face aux premiers .... (4) (très forte fièvre, faiblesse générale, etc.), elle a paniqué et appelé directement un .... (5) pour être transportée à la .... (6) du quartier. Quand elle a reçu la facture, quel choc : elle ne savait pas que le transport n'était pas remboursé sans .... (7) d'un médecin, ni qu'une clinique coûtait plus cher qu'un .... (8) !

Phonétique : La phonie-graphie des sons [s] et [z]

11. 🎧▶040 Écoutez et complétez avec les lettres « s », « ss », « sc », « x », « t », « c » ou « z ». Puis indiquez à quel son [s] ou [z] correspond la graphie.

Exemple : Les explications minutieuses du pharmacien sont souvent précieuses pour comprendre.

      [z][s]   [s]   [s] [z]   [s] [s] [s]   [s] [z

les notices d'utilisation des médicaments.

    [s]   [z][s]

....elon les dernière.... études publiées dan.... un maga....ine de ....ociété, le.... inégalités

[ ]   [ ]   [ ]   [ ]   [ ]   [ ]

entre les ....alaires de.... hommes et ....eux des femmes ....ont toujours au....i vi....ibles.

   [ ]   [ ]   [ ]   [ ]   [ ] [ ]

Nous agissons

Stratégie : Synthétiser le contenu d'un débat

12. 🎧 ⏮041 **Écoutez le débat entre les membres d'un club de lecture.**

a. Cochez le thème correspondant au débat.

☐ L'égalité homme-femme ☐ La mise en place de l'écriture inclusive ☐ La féminisation de la langue écrite

b. Associez les opinions aux locuteurs.

Philippe •

Martine •

Françoise •

• 1. L'écriture inclusive servira de base à l'éducation égalitaire des enfants.
• 2. L'écriture inclusive pourrait gêner la lecture.
• 3. Les mentalités doivent changer.
• 4. L'écriture inclusive ne peut pas être appliquée aux domaines littéraires.
• 5. L'écriture inclusive relève du débat idéologique.
• 6. Seul un changement de législation pourra faire évoluer les choses.

c. Complétez le compte rendu avec les numéros des opinions de la liste.

Face à la question de l'écriture inclusive, les opinions sont partagées entre les membres du club de lecture. Philippe et Martine sont d'accord au départ sur le fait que .... Mais Philippe pense que .... et qu'elle .... Martine n'est pas d'accord et affirme que .... et que .... Philippe doute que légiférer sur le sujet soit possible. La solution qui met d'accord Françoise et Martine, c'est que ....

Production écrite

13. **Répondez à cette demande postée sur le blog de votre centre de langue. Synthétisez les opinions sur la féminisation des langues sous forme d'un compte rendu structuré.**

> **Le blog de notre école**
>
> **Le débat du mois**
>
> **Que penser de la féminisation de la langue ?**
> **Est-elle nécessaire, souhaitable, possible ?**
> **Faites-nous partager le contenu de vos débats !**

Approche interculturelle

14. **En France, les débats sont inscrits dans les programmes de l'enseignement secondaire, en particulier dans le cadre des cours d'enseignement moral et civique.**

Voici un extrait du programme officiel 2018.

> L'enseignement moral et civique s'effectue, chaque fois que possible, à partir de l'analyse de situations concrètes. La discussion réglée et le débat argumenté ont une place de premier choix pour permettre aux élèves de comprendre, d'éprouver et de mettre en perspective les valeurs qui régissent notre société démocratique. Ils comportent une prise d'informations selon les modalités choisies par le professeur, un échange d'arguments dans un cadre défini et un retour sur les acquis.

a. Que pensez-vous de cette place accordée aux débats dans les collèges en France ?

b. Comparez avec les programmes d'enseignement dans votre pays.

Nous nous évaluons

> Décrire et comparer des faits culturels et politiques

1. Lisez la chronique publiée sur un site d'information culturel. Faites les activités. Vérifiez votre score p. 18 du livret.

---

http://www.mesinfoculturelles.fr

HEBDO DES RÉGIONS

Provinces unies, tous contre Paris !

Après les clivages « droite-gauche » et « ouverture-repli », voici venu le temps de l'opposition « Paris-régions ».

Comment s'opposer à Emmanuel Macron ? L'opposition de droite cherche depuis le dernier scrutin présidentiel sur les terrains économique et sécuritaire essentiellement, mais sans succès. Une nouvelle tendance semble donc être apparue la semaine dernière. En effet, jeudi, tous les présidents de région ont rompu les négociations budgétaires, agacés par les restrictions que leur impose l'État… ou plutôt que leur impose « Paris », comme ils le disent.

Voilà donc le nouveau clivage : face à un président décrit comme l'homme des élites parisiennes, l'opposition se positionne tout aussi clairement du côté de la proximité que du côté du bon sens et de l'action de terrain. Ils sont aidés en cela par la tendance naturelle d'Emmanuel Macron, qui n'est pas aussi désireux de partager le pouvoir avec les collectivités territoriales que les présidents précédents.

Ainsi, le thème de la décentralisation occupe objectivement moins de place que dans le passé puisque le mot ne figurait même pas dans son projet présidentiel… Pire – ou mieux selon les points de vue – on peut même parler du retour de davantage de centralisation, illustré par la fin de la taxe d'habitation qui finançait les collectivités.

Bien sûr, cette opposition Paris-régions n'est pas nouvelle, c'est même un classique historique depuis que la France s'est dotée d'une constitution. Mais cette guerre entre la capitale et les « territoires » retrouve de plus en plus de vigueur. Pour deux raisons.

D'abord, la réforme de 2015, menant à moins de régions, leur a donné presque deux fois plus de poids, et infiniment plus de « publicité » auprès du grand public. Ramenées de 22 à 13, elles disposent de budgets nettement plus élevés (au total, l'équivalent du budget du ministère de l'Agriculture) et de tout autant de personnel administratif. Par ailleurs, la vague bleue des élections de 2015 a mis plus que jamais des personnalités de la droite à la tête de l'opposition à Emmanuel Macron.

Mais cette stratégie, qu'on pourrait résumer par « Provinces unies, tous contre Paris » fonctionne pour une autre raison. La région et l'identité régionale reviennent en force depuis quelques années : seule la région semble apporter une forme d'identité socialement moins risquée, un cadre plus rassurant de traditions et d'appartenance locale. Les responsables politiques régionaux l'ont bien compris, et s'en servent pour gagner davantage de popularité. D'où le paradoxe de cette position : ils jouent sur la corde régionale contre « la capitale »… pour finalement se rapprocher des lumières de Paris !

---

a. Quel est le clivage dont il est ici question dans l'article ?

b. Numérotez dans l'ordre chronologique les étapes de la formation du clivage.

☐ La droite est entrée dans l'opposition au gouvernement.

☐ Les responsables régionaux ont quitté la table des négociations.

☐ Le budget des régions comme leur image se sont beaucoup développés.

☐ L'opposition s'est positionnée sur l'axe « Provinces unies, tous contre Paris ».

☐ Elle n'a pas réussi à formuler une critique profonde sur les plans économique ou sécuritaire.

c. Complétez le tableau des expressions nuancées avec des extraits de l'article.

Pour indiquer une progression	+	....
	+	....
Pour insister	=	....
	=	....
	–	....
Pour donner un ordre de grandeur	+	....

d. Quel est le paradoxe dont parle le journaliste à la fin du texte ? Est-ce un constat ou une opinion ?

....

....

Mon score ...... /10

Commenter un phénomène de société

2. ⌨H042 Écoutez un entretien diffusé sur une radio régionale. Faites les activités. Vérifiez votre score p. 18 du livret.

a. Vrai ou faux ? Cochez et justifiez votre réponse avec un extrait de l'entretien.

1. Les Français voient des impacts positifs de la victoire au Mondial sur le sentiment de fierté nationale mais pas sur l'image de la France dans le monde. ☐ Vrai ☐ Faux

Justifiez : ....

2. La politique se mêle toujours aux discussions concernant la gastronomie comme à celles portant sur les succès sportifs. ☐ Vrai ☐ Faux

Justifiez : ....

b. Quelles sont les trois évolutions (hausse ou chute) récentes citées par le journaliste ? Complétez.

1. Plus 5 points pour ....

2. .... en hausse spectaculaire de 21 points

3. Un recul de 2 points pour ....

c. Associez les émotions de la liste aux extraits.

énervement – sentiment d'unité nationale – déception – fierté et optimisme – soutien fort – rejet

Extraits	Émotions des Français
« ça rend les Français heureux et enthousiastes »	....
« les effusions »	....
« on adore »	....
« on s'agace »	....
« on rejette »	....
« on pleure »	....

Mon score ...... /10

Nuancer une comparaison

3. 🎧◄043 Écoutez ces résultats d'enquêtes. Cochez dans le tableau le type de nuance des comparaisons.

	Indique une évolution		Insiste			Donne un ordre de grandeur	
	+	−	+	=	−	+	−
1							
2							
3							
4							
5							
6							

4. Complétez les commentaires de l'étude sur les domaines à prioriser par l'État selon les Français. Utilisez les expressions de la liste et faites les modifications nécessaires. Plusieurs réponses sont parfois possibles.

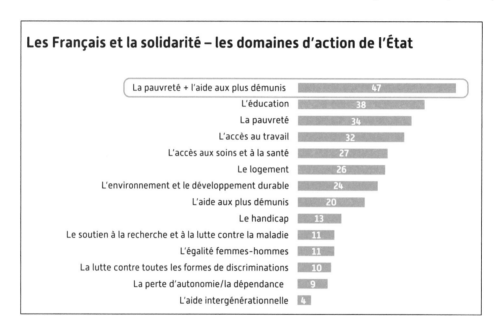

Les Français et la solidarité – les domaines d'action de l'État

La pauvreté + l'aide aux plus démunis	47
L'éducation	38
La pauvreté	34
L'accès au travail	32
L'accès aux soins et à la santé	27
Le logement	26
L'environnement et le développement durable	24
L'aide aux plus démunis	20
Le handicap	13
Le soutien à la recherche et à la lutte contre la maladie	11
L'égalité femmes-hommes	11
La lutte contre toutes les formes de discriminations	10
La perte d'autonomie/la dépendance	9
L'aide intergénérationnelle	4

de plus en plus – deux fois plus de – beaucoup moins – bien moins – tout autant de

La dernière enquête d'Ipsos sur les Français et la solidarité montre que les citoyens attendent .... (1) actions de l'État dans la lutte contre la pauvreté et l'aide aux plus démunis que dans la protection environnementale et le développement durable. La protection des personnes vulnérables semble importante pour les Français qui se préoccupent .... (2) l'accès aux soins et à la santé que de l'accès au logement. Bien que le social soit à l'honneur, on remarque que les Français sont .... (3) sensibles à l'aide étatique intergénérationnelle ou face à la perte d'autonomie. Pour finir, la plus grande surprise : bien que les débats poussent .... (4) vers les droits des femmes, on voit que l'égalité homme-femme, avec 11 % de réponses, est un sujet .... (5) cité qu'on l'aurait imaginé.

Le subjonctif pour exprimer une alternative

5. **Rédigez des phrases qui expriment des alternatives avec les éléments proposés.**

1. Vivre en Belgique / en Allemagne – être en démocratie

....

2. Faire du football / du rugby – pratiquer un sport internationalement populaire

....

3. Adorer les sports collectifs / les détester – leur popularité – rester indéniable

....

4. Être favorable à l'écriture inclusive / préférer la seule féminisation des noms – ne pas pouvoir refuser la féminisation de la langue

....

....

5. Acheter des médicaments de marque / obtenir des médicaments génériques – les effets – être les mêmes

....

6. Prendre des antibiotiques / choisir un traitement naturel – un virus – nécessiter plusieurs jours de repos

....

Nous pratiquons > MOTS ET EXPRESSIONS

Parler des institutions et de la politique

6. **Complétez la présentation des institutions de la République française avec les mots suivants :**

Parlement – République – Président de la République – gouvernement – élections – démocratie – Sénat – participer – Assemblée nationale – citoyens – scrutins.

La France est une .... (1) qui repose sur la volonté et l'expression du peuple. Celui-ci est constitué des hommes et des femmes qui peuvent .... (2) à différents .... (3) dès qu'ils ont 18 ans, que ce soit au travers d' .... (4) locales ou nationales. Cela la définit comme .... (5).

Plus précisément, les .... (6) votent directement pour le .... (7), les membres de l'Assemblée nationale (les députés) et les membres des conseils locaux (municipal, départemental et régional). Les sénateurs sont quant à eux élus indirectement. En revanche, le .... (8) n'est pas élu mais nommé par le Président de la République. Les deux assemblées, l' .... (9) et le .... (10), forment le .... (11).

Parler des émotions et des sentiments

7. **Pour chacune des expressions suivantes, imaginez une situation qui pourrait provoquer un tel sentiment. Présentez-la en une phrase.**

1. Être euphorique : ....

2. Éprouver de la joie : ....

3. Éprouver de l'aversion : ....

4. Haïr : ....

5. Se sentir malheureux : ....

8. a. Écrivez le sentiment éprouvé par le personnage pour chaque vignette de cette bande dessinée.

Vignette 1 : ....

Vignette 2 : ....

Vignette 3 : ....

Vignette 4 : ....

Vignette 5 : ....

Vignette 6 : ....

Vignette 7 : ....

Vignette 8 : ....

Vignette 9 : ....

Vignette 10 : ....

Vignette 11 : ....

Vignette 12 : ....

b. Écrivez un texte court pour raconter ce que le personnage éprouve au fil des images.

*une corde emmêlée (emmêler quelque chose) ≠ une corde démêlée (démêler quelque chose)

....

....

....

....

....

....

Nous agissons

> ### Stratégie : présenter une opinion argumentée dans un débat

9. Lisez le texte d'opinion et faites les activités.

❶ Dans le contexte actuel de recherche d'égalité des sexes, la question de **la mixité des pratiques sportives dans les établissements scolaires** se pose. Que l'on s'interroge sur les bénéfices que cela peut apporter aux jeunes ou que l'on s'intéresse aux problèmes que cela pose, il est clair que c'est un sujet de débat qui ne peut pas être tranché facilement.

❷ **On dit que garçons et filles doivent être éduqués de la même manière car l'égalité se construit dès le plus jeune âge.** Certes, cela est vrai pour les enfants. Cependant, **est-on bien sûr que les adolescents soient toujours heureux de pratiquer certains sports ensemble, par exemple la natation pendant la puberté ?** Cet exemple révèle certainement à quel point la volonté d'égalité peut s'opposer au **besoin de ne pas toujours faire les mêmes**

❹ **choses et en même temps à certains âges, besoin qui permet à beaucoup de jeunes de se sentir bien.** Par ailleurs, les corps des adolescents ne se développent pas au même rythme, c'est un fait.

❺ **Les bras, les jambes, le développement musculaire : tous ces aspects de la croissance se font à des moments et des vitesses différents.** C'est pourquoi l'engouement pour la mixité de toutes les activités et à tous les âges, peut être contraire à la bonne santé de la jeunesse.

❻ **Ainsi, il me semble clair que l'égalité de traitement et d'accès aux sports doit être une priorité dans l'éducation mais que la mixité systématique dans les pratiques sportives, et à tous les âges, n'est pas souhaitable.**

a. Observez la structure de l'opinion argumentée. Indiquez le numéro correspondant aux étapes de l'argumentaire.

☐ Le deuxième argument   ☐ La thèse soutenue

☐ Le premier argument   ☐ Le thème général

☐ La synthèse de l'opinion   ☐ La thèse rejetée

b. Relevez les expressions utilisées pour :

1. Introduire le sujet : ....   5. Exprimer un doute : ....

2. Ajouter une idée : ....   6. Formuler une certitude : ....

3. Présenter une cause : ....   7. Faire une concession au camp opposé : ....

4. Mentionner une conséquence : ....   8. Conclure : ....

> ### Production écrite

10. Présentez dans un texte structuré votre opinion nuancée sur le sujet suivant :

> **Des équipes de sportifs exclues des compétitions internationales pour cause de dopage**

> ### Approche interculturelle

11. Les Français s'identifient volontiers à des symboles nationaux comme la gastronomie française. Célèbre en Europe et dans le monde depuis le 18e siècle, la cuisine française est devenue une valeur reconnue internationalement. En 2010, elle a même été classée au patrimoine culturel de l'humanité.

a. Que pensez-vous de ce sentiment de fierté des Français à l'égard de la gastronomie française ?

b. La gastronomie est-elle aussi une source de fierté nationale dans votre pays ?

c. Connaissez-vous d'autres pratiques culturelles qui sont sources de fierté pour les Français ? Échangez et comparez avec celles de votre pays qui suscitent un tel sentiment.

Nous débattons de questions de société

Compréhension écrite

 1 Vous lisez cet article sur un site Internet.

La « charge mentale », le syndrome des femmes épuisées « d'avoir à penser à tout »

Penser à tout, tout le temps, pour assurer le bon fonctionnement du foyer : la « charge mentale » pèse plus lourd pour les femmes que pour leur conjoint. Mais comment y remédier ?

La chercheuse Nicole Brais, de l'Université Laval de Québec, définit la « charge mentale » comme « ce travail de gestion, d'organisation et de planification qui est à la fois intangible[1], incontournable et constant, et qui a pour objectifs la satisfaction des besoins de chacun et la bonne marche de la résidence. » Génératrice de stress, cette charge concerne surtout les femmes qui, en plus de leur emploi, s'assurent que tout fonctionne correctement à la maison.

Le partage des tâches ménagères reste, encore aujourd'hui, l'une des démonstrations les plus flagrantes des inégalités femmes-hommes dans la société française. Inscrite au sein même des foyers, cette inégalité n'a que très peu diminué au cours des vingt-cinq dernières années. Selon l'Insee[2], en 2010, les femmes prenaient en charge 64 % des tâches domestiques et 71 % des tâches parentales au sein des foyers. En 1985, ces taux s'élevaient respectivement à 69 % et 80 %.

Dans une bande dessinée consacrée à la « charge mentale », la dessinatrice Emma illustre ce concept avec justesse, en présentant une situation commune à bien des ménages : une femme, prise par ses nombreuses tâches, laisse déborder une casserole sur le feu. Le compagnon fictionnel lui dit : « Fallait me demander, je t'aurais aidé ! » Emma résume la situation : « Quand le partenaire attend de sa compagne qu'elle lui demande de faire les choses, c'est qu'il la voit comme la responsable en titre du travail domestique. C'est donc à elle de savoir ce qu'il faut faire et quand il faut le faire. » Selon Emma, les conjoints refuseraient, consciemment ou non, de prendre leur part de « charge mentale », au risque de faire subir à leur compagne une situation de surmenage.

La solution qu'écrit Emma dans sa bande dessinée réside dans le fait que « les hommes doivent apprendre à se sentir responsables de leur foyer », contrairement aux générations précédentes. « On voit nos mères prendre en charge toute la gestion de la maison, pendant que nos pères ne font que participer à son exécution », analyse Emma. Elle rappelle également que pour que cela change, il est possible « d'être parfois absente, sans tout préparer et sans culpabiliser » : « l'inversion des rôles est souvent plus efficace que la confrontation ».

D'après www.lexpress.fr

1. intangible : sacré, qui ne doit subir aucune modification.
2. Insee : Institut national de la statistique et des études économiques.

Répondez aux questions suivantes.

1. La chercheuse Nicole Brais souligne le caractère…

   a. passif   **b.** injuste   **c.** obligatoire   … de la charge mentale

2. Dites si l'affirmation suivante est vraie ou fausse et justifiez avec un extrait de l'article.

On note une nette amélioration dans la répartition des tâches entre les hommes et les femmes.   ☐ Vrai ☐ Faux

3. Quel constat fait la dessinatrice Emma sur la répartition des tâches ménagères ?

4. Selon Emma, le moyen de faire assumer aux hommes la charge mentale est de…

    a. leur montrer comment faire.   **b.** leur laisser prendre le contrôle.   **c.** participer à valeur égale aux tâches.

Compréhension orale

2 🎧▸044 **Vous écoutez une émission d'une radio francophone. Répondez aux questions.**

1. Selon la journaliste, on peut avoir recours à l'automédication par manque…

    a. d'argent.   **b.** de temps.   **c.** de connaissance.

2. D'après la journaliste, à quels aspects doit-on particulièrement faire attention ? *(Deux réponses.)*

....

3. Quelle est la définition du professeur Alain Baumelou pour le terme « se soigner » ?

....

4. Sophie trouve que prendre rendez-vous chez le médecin est…

    a. inutile.   **b.** trop cher.   **c.** important.

5. Nathalie Richard souligne que des médicaments de base comme le paracétamol sont…

    a. nocifs.   **b.** très utiles.   **c.** inefficaces.

6. En quoi les antibiotiques sont-ils un enjeu de santé publique ?

....

Production orale

3 Votre professeur de français vous demande de préparer un exposé sur le sport et ses valeurs dans un monde où l'argent occupe désormais une place primordiale. Argent et esprit sportif sont-ils encore compatibles ? Vous présentez votre point de vue argumenté à ce sujet et l'illustrez avec des exemples.

Production écrite

4 Vous lisez cette consultation sur un site Internet d'actualité. Vous répondez à cet appel. Vous écrivez un texte dans lequel vous présentez votre opinion argumentée à ce sujet. (250 mots minimum)

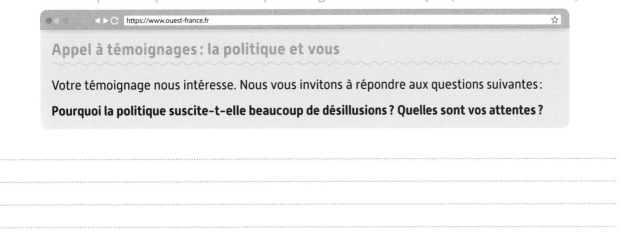

https://www.ouest-france.fr

Appel à témoignages : la politique et vous

Votre témoignage nous intéresse. Nous vous invitons à répondre aux questions suivantes :

Pourquoi la politique suscite-t-elle beaucoup de désillusions ? Quelles sont vos attentes ?

....

....

....

....

DOSSIER **6** > Leçons **1** et **2**

Nous nous évaluons

⚲ Dresser un bilan

1. Lisez l'article. Faites les activités. Vérifiez votre score p. 20 du livret.

`◄ ► C` `http://www.infoentreprises.com` ☆ 🔍

Écotendance

Bilan de l'économie sociale et solidaire : l'entreprise autrement

Qu'est-ce qui différencie une entreprise sociale et solidaire d'une entreprise classique ? Cela peut être son domaine d'activité : commerce équitable, microfinance… mais aussi ses règles de fonctionnement. En particulier dans les pratiques de rémunération. Au sein des petites entreprises sociales, les écarts de salaire respectent par exemple un rapport de un à cinq. Dans les grandes, compétitivité oblige, ce ratio peut passer de un à quinze. Cet encadrement des salaires ne semble pas affecter l'attractivité de ces entreprises, qui reçoivent massivement des CV en provenance des meilleures écoles de management et d'ingénieurs car les jeunes diplômés sont davantage en quête de sens que d'argent vite et mal gagné.

Contrairement à ce qu'on pourrait penser, les entreprises sociales et solidaires ont elles aussi des ambitions de croissance et de rentabilité. Ces sociétés privées se fixent des objectifs de ventes, de retour sur investissement, et adoptent sans complexes les codes de l'économie de marché. Certaines d'entre elles atteignent ainsi des dimensions dignes des grandes multinationales.

Complexes, ces modèles ont besoin de souplesse. C'est pourquoi les entreprises sociales font souvent travailler ensemble coopératives, sociétés anonymes, filiales… Un mélange des genres et une flexibilité qui pourraient bien finir par séduire les entreprises « classiques ». Ces dernières, soucieuses de leur empreinte sociétale, sont aussi de plus en plus nombreuses à promouvoir l'entrepreneuriat social. Pour cela, il faut bien sûr que le projet ait une vocation sociale en lien avec le cœur de métier de l'entreprise et qu'il puisse être transformé en modèle économiquement durable et autonome. Ainsi, BNP Paribas a développé un programme de microcrédit pour les pays du Sud, Seb a créé une entreprise d'insertion pour recycler des stocks obsolètes de sa marque Tefal.

a. Choisissez un chapeau pour cet article.

☐ 1. Les plus importantes organisations internationales érigent l'économie sociale et solidaire comme modèle à suivre. L'économie alternative en marche.

☐ 2. Les entreprises d'économie sociale et solidaire font leur promotion dans les grandes écoles de management. Grand événement.

☐ 3. Une nouvelle génération d'entreprises cherche à conjuguer activités à visée sociale et objectifs de performance économique. Un succès.

b. Associez un titre à chaque paragraphe de l'article.

Paragraphe 1 •   • Une source d'inspiration

                   • Concurrence en hausse

                   • Efficacité et rentabilité

Paragraphe 2 •   • Une gouvernance souple

Paragraphe 3 •   • Moins d'inégalités sociales, plus d'équité salariale

c. Vrai ou faux ? Répondez et justifiez avec un extrait de l'article.

1. La concurrence plus importante dans les grandes entreprises a un impact sur l'écart entre les salaires. ☐ Vrai ☐ Faux

Justifiez : ....

2. Les jeunes diplômés privilégient la rémunération à l'intérêt du travail. ☐ Vrai ☐ Faux

Justifiez : ....

3. Une entreprise de l'ESS engrange des bénéfices et répond à une logique de développement comme une entreprise classique. ☐ Vrai ☐ Faux

Justifiez : ....

4. L'ESS ne recouvre que de petites entreprises. ☐ Vrai ☐ Faux

Justifiez : ....

5. Les entreprises sociales et solidaires ne travaillent qu'avec des acteurs associatifs. ☐ Vrai ☐ Faux

Justifiez : ....

d. Quelles sont les deux conditions de la promotion de l'entrepreneuriat social par les entreprises classiques ? Répondez.

1. ....

2. ....

> Mon score ...... /10

Provoquer une prise de conscience et faire des recommandations

2. 🎧 ▶ 045 Écoutez l'émission de radio et faites les activités. Vérifiez votre score p. 21 du livret.

a. Complétez le tableau.

Problème	....
Causes	– .... – .... – .... – ....
Conséquence principale	....
Solutions mises en place	– Au niveau européen : .... – Au niveau local : ....

L'apiculture ou l'élevage des abeilles

b. Répondez aux questions.

1. À quelles informations correspondent ces deux données ?

35 % : ....   80 % : ....

2. Les deux informations ci-dessus sont-elles vérifiées ? Justifiez.

....

3. Que regrette l'intervenant concernant la protection de l'apiculture ? Justifiez avec un extrait de l'émission.

....

> Mon score ...... /10

> **Exprimer la condition**

3. Rédigez les conditions pour intégrer une coopérative d'habitants avec les éléments proposés.

La coopérative d'habitants est faite pour vous…

1. aimer contribuer à la vie collective (si) → ....

2. avoir envie de partager avec ses voisins des valeurs communes (si tant est que)

→ ....

3. disposer de temps libre pour participer à la vie de la coopérative (à condition que)

→ ....

4. pouvoir payer les charges produites par les équipements et services communs (pourvu que)

→ ....

5. être ouvert à la discussion (si) → ....

6. savoir pratiquer le consensus (si tant est que)

→ ....

4. Complétez librement les conditions suivantes.

1. Je vous propose de faire du covoiturage à condition que ....

....

2. Une entreprise pratique l'ESS si ....

....

3. Ce jeune diplômé intégrera cette coopérative de travail si tant est que ....

....

4. Anna fera carrière dans l'économie sociale et solidaire pourvu que ....

....

5. Cette année, je ferai du bénévolat si tant est que ....

....

6. L'entreprise devrait connaître un fort développement cette année à condition que ....

....

> **Le conditionnel pour atténuer ou exprimer des faits hypothétiques**

5. 🎧»046 Écoutez les extraits d'une chronique radio sur l'environnement. Cochez la valeur du conditionnel exprimée.

	1	2	3	4	5	6
Affirmation atténuée ou suggestion						
Faits hypothétiques ou probables						
Information non confirmée						

6. Rédigez un édito pour présenter ces informations. Utilisez l'indicatif ou le conditionnel.

Le changement climatique

Faits avérés : réchauffement de la planète – impact sur l'environnement

Faits probables : augmentation de la température (jusqu'à 4,8 °C d'ici 2100) – risques sanitaires accrus – migrations climatiques

Informations non confirmées : ignorance de nombreuses conséquences – existence de solutions pour inverser le changement climatique

....

....

....

....

....

....

Le conditionnel passé pour exprimer un reproche ou un regret

7. Transformez les suggestions en reproches.

1. Il faudrait supprimer les moteurs diesel dans les grandes villes.

....

2. On devrait limiter l'artificialisation.

....

3. Tu pourrais mieux isoler ton logement.

....

4. Ce serait bien de ne pas toucher au portefeuille des Français en matière d'écologie.

....

5. Il faudrait éveiller la conscience écologique bien plus tôt.

....

6. Vous ne devriez pas faire payer une taxe sur la quantité de déchets rejetés par les ménages.

....

8. À l'oral. Lisez les situations et exprimez un reproche ou un regret avec le conditionnel passé. Plusieurs réponses sont possibles.

Exemple : *Nicolas Hulot a démissionné de son poste de ministre de la Transition écologique. → Nicolas Hulot n'aurait pas dû démissionner de son poste de ministre. / Il aurait dû rester à son poste de ministre. / Il aurait pu terminer son mandat de ministre.*

1. Mes parents m'ont donné leur voiture diesel.

2. Les promoteurs immobiliers continuent de bétonner la côte.

3. Cet agriculteur a utilisé des pesticides pendant de nombreuses années.

4. Les promesses de campagne concernant l'écologie n'ont pas été tenues.

5. On a contraint les gens à choisir entre l'écologie et le pouvoir d'achat.

6. La politique des petits pas arrive trop tard car l'écologie est une urgence absolue maintenant.

7. Mes parents n'ont jamais fait le tri sélectif.

8. Madame Winter a parcouru 200 000 miles en avion l'année dernière uniquement pour assister à des conférences.

Parler d'économie et de finance

9. Soulignez les groupes de mots corrects dans l'article.

SOS, « la Rolls-Royce de l'économie sociale et solidaire / coopérative et alternative »

Il n'a fallu qu'une trentaine d'années à Jean-Marc Borello pour construire un empire. Les chiffres disent la réussite fulgurante du **financement / groupe** SOS : passant d'une petite association de lutte contre la toxicomanie en 1984 à un monstre de 17 000 **salariés / investissements**, 495 établissements et 910 millions d'euros de **chiffre d'affaires / lucrativité** aujourd'hui. SOS est le leader européen dans le domaine. L'organisation repose sur une **acquisition / gouvernance** purement associative. Ce qui signifie qu'il n'y a ni **actionnaires / employés**, ni hauts salaires mais que l'ensemble des **bénéfices / coûts** sont réinvestis, favorisant son développement rapide. Les 4 millions d'euros perçus cette année seront **remboursés / réinvestis** dans des **structures déficitaires / mensualités**. « La philosophie de SOS, c'est d'utiliser les **emprunts / recettes** de l'entreprise pour faire du social et de lutter contre les bulles **spéculatives / concurrentes** qui touchent certains secteurs comme le marché senior », estime un ancien du groupe.

Parler de la biodiversité

10. 🎧 ▶047 Écoutez les extraits d'une conférence sur la biodiversité de l'île de la Réunion. Associez chaque extrait à un thème.

Extrait 1 •   • La faune

Extrait 2 •   • La flore

Extrait 3 •   • Le monde aquatique

Extrait 4 •   • L'agriculture

Extrait 5 •   • Les dangers et les menaces

11. a. Entourez les 17 mots de la biodiversité.

opugsurexploitationjhgfdboisementnbvcxinsectertyuioplestuaireojygfhfgcagriculturefdtrdpopoiut
habeillehgfhfytfcruefresaqjhbcôteoijigygfcfdxezqsingeijhbvforêttgnbvcfleuraqwxsedcknlkpesticidef
rtyuninondationolmplsylvicultureytcdsdéforestationopiutrezfleuveoiextinctionrs

b. Classez-les.

La faune : ....

La flore : ....

Le monde aquatique : ....

L'exploitation de la terre : ....

Les dangers et les menaces : ....

Nous agissons

Stratégie : Mettre en relief une problématique dans une argumentation

12. a. Observez la carte mentale.

1. Des images fortes

6. Des expressions pour alerter

2. Des expressions pour parler de l'augmentation

METTRE EN RELIEF UNE PROBLÉMATIQUE

5. Des expressions pour parler des conséquences

3. Des expressions pour parler de la diminution

4. Des expressions pour parler de l'évolution rapide

b. Indiquez pour chaque expression soulignée le moyen utilisé de la carte mentale.

L'heure est grave ☐ . Le déclin ☐ de la biodiversité s'accélère ☐ . L'activité humaine a un impact considérable sur nos espaces marins ☐ . Les scientifiques tirent la sonnette d'alarme ☐ face au pillage des océans ☐ . 31,4 % des stocks de poissons dans le monde sont surexploités ! Le phénomène est trois fois plus important ☐ qu'il y a quarante ans, alertent ☐ les scientifiques. Tout aussi grave, la proportion de zones de haute mer dépourvues d'oxygène a plus que quadruplé ☐ tandis que les sites à faible teneur en oxygène ont été multipliés par dix ☐ . Les effets pourraient être irréversibles ☐ . Les mers se vident de leurs poissons ☐ . La situation est telle ☐ qu'à ce rythme ☐ , il n'y aura plus de poissons ou de fruits de mer à consommer en 2048.

Production écrite

13. Choisissez un problème lié à la biodiversité. Rédigez un essai argumenté à l'attention des autres étudiants de la classe pour provoquer une prise de conscience. Utilisez la carte mentale de l'activité 12.

Exemples de problème :
Diminution de 80 % de la population de requins en quinze ans
La Grande Barrière de corail australienne en danger
Prolifération de tortues de Floride en Europe
Pollution sonore et collisions : dangers mortels pour les baleines et les dauphins
Le moustique tigre : parmi les dix espèces les plus invasives du monde

Approche interculturelle

14. 🎧 ◀048 Écoutez l'introduction d'une chronique radio sur une mesure écologique.

a. Qu'en pensez-vous ? Cette mesure vous semble-t-elle utile ? Quels en sont les intérêts (financier, écologique, médical) ?

b. Cette mesure existe-t-elle dans votre pays ? Comparez avec le dispositif français.

DOSSIER **6** > Leçons **3** et **4**

Nous nous évaluons

Comprendre et proposer une action

1. Lisez l'article d'une revue d'information médicale. Faites les activités. Vérifiez votre score p. 22 du livret.

◀ ▶ C   http://www.lepointmedecine.com   ☆   Q

Alerte !   INFO   QUESTIONS   TENDANCES   FORUM   *Rechercher ...* 🔍   👤 S'identifier

Irène Frachon : quand l'Erin Brockovich française fait éclater le scandale du Mediator

La pneumologue Irène Frachon a joué un rôle décisif dans l'affaire du Mediator, dangereux coupe-faim commercialisé par le groupe pharmaceutique Servier, qui a fait des milliers de victimes. Rencontre.

Comment vous êtes-vous retrouvée au cœur de l'affaire du Mediator ?

En 2007, à l'hôpital de Brest, j'ai pris en charge une dame obèse qui souffrait d'hypertension pulmonaire. Elle prenait du Mediator. J'ai alors repensé que quinze ans auparavant, lors de ma formation, j'avais vu des jeunes femmes mourir de cette même maladie après avoir pris un coupe-faim du même laboratoire, l'Isoméride. À l'époque, il y avait eu une bataille pour faire interdire cette molécule. J'ai donc repensé à cette affaire et je me suis demandé si ces deux médicaments n'avaient pas un lien de parenté.

Pour le savoir, vous avez dû mener l'enquête.

Oui, car il n'existait aucune information sur le Mediator dans les bases de données scientifiques. J'ai donc contacté le laboratoire pharmaceutique, qui m'a répondu qu'il s'agissait de deux produits radicalement différents. J'avais pourtant lu dans une revue médicale indépendante qu'ils étaient proches. J'ai donc écrit à cette revue, qui m'a procuré plusieurs publications scientifiques datant des années 1970, dans lesquelles des chercheurs de Servier décrivaient une nouvelle molécule dérivée de l'Isoméride, qui n'était rien d'autre que le Mediator ! J'ai alors pris conscience que le laboratoire me mentait, et que son médicament était un poison.

Comment avez-vous donné l'alerte ?

J'ai demandé à être entendue par l'Agence nationale de sécurité du médicament mais je n'ai pas été prise au sérieux. Alors, j'ai écrit un livre pour dénoncer cette situation : *Mediator 150 mg, Combien de morts ?* Cela a abouti au retrait du marché du médicament. Puis il y a eu l'ouverture d'une instruction judiciaire et la mise en place d'un processus d'indemnisation des victimes.

Que faut-il changer pour qu'un tel drame ne se reproduise pas ?

Les médecins devraient renoncer à certains avantages et financements des laboratoires, qui sont d'abord des moyens d'influence.

---

a. Complétez la fiche informative du lancement d'alerte raconté dans l'article.

Nom de la lanceuse d'alerte : ....

Profession : ....

Domaine de l'alerte : ....

Raison : ....

Conséquences du lancement d'alerte : ....

....

b. Numérotez les étapes de l'affaire du Mediator dans le bon ordre.

☐ La découverte de la tromperie

☐ L'échec de la révélation aux autorités

☐ L'avertissement sur les liaisons dangereuses entre les médecins et les laboratoires

☐ L'aboutissement de plusieurs années de travail

☐ Une investigation longue et minutieuse

☐ Les premiers soupçons

☐ La révélation au grand public

c. Vrai ou faux ? Cochez et justifiez avec un extrait de l'article.

1. La nouvelle molécule dérivée de l'Isoméride est le Mediator. ☐ Vrai ☐ Faux

Justifiez : ....

2. Irène Frachon a obtenu l'ensemble des publications scientifiques de la revue. ☐ Vrai ☐ Faux

Justifiez : ....

3. Les médecins ne doivent renoncer à aucun avantage ni financement de la part des laboratoires. ☐ Vrai ☐ Faux

Justifiez : ....

d. Complétez la réponse à la dernière question de l'interview : « *Que faut-il changer pour qu'un tel drame ne se reproduise pas ?* » Utilisez les éléments proposés.

1. sensibiliser / les conflits d'intérêts

....

2. veiller / prendre des décisions pour les patients / pas d'influence des laboratoires

....

Mon score ...... /10

Dénoncer un problème de société / Proposer des solutions

2. 🎧 ▶049 Écoutez le reportage radio. Faites les activités. Vérifiez votre score p. 22 du livret.

a. Complétez le titre de ce reportage.

Le café .... : une action .... envers les plus ....

b. Expliquez le concept avec vos propres mots.

....

....

....

c. Répondez aux questions.

1. Où et quand est née cette action ?

....

2. À quels autres produits s'est étendu ce concept ?

....

3. Quel est le but véritable de cette action selon le gérant du café ?

....

d. Reformulez les propos des deux intervenants.

1. Alain, le donneur :

Ce geste   permet ....

            empêche ....

            et ....

2. Joseph, le bénéficiaire :

Dans quelque temps, si ça va mieux, je souhaiterais participer ....

Mon score ...... /10

Les adjectifs et les pronoms indéfinis pour préciser une idée ou une quantité

3. Remplacez les mots entre parenthèses par un adjectif ou un pronom indéfini de même sens ou de sens proche.

1. (Des gens) .... disent que les lanceurs d'alerte sont des héros.

   (D'autres personnes) .... pensent que ce sont des traîtres.

2. (On) .... peut lancer l'alerte sur les fraudes dont nous sommes témoins au sein de notre

   entreprise.

3. Les lanceurs d'alerte n'enfreignent (pas de) .... loi.

4. (70 %) .... des cadres estiment que les choix et pratiques de leur entreprise entrent régulièrement

   en contradiction avec leur éthique personnelle.

5. (Tout) .... salarié qualifié à responsabilité peut devenir un lanceur d'alerte.

6. (Quelques) .... pays bénéficient d'une loi protégeant les lanceurs d'alerte.

7. Les lanceurs d'alerte publient une information car ils sont allés voir des gens avant et que (personne)

   .... n'a réagi.

4. Complétez avec les pronoms indéfinis *tout, tous, toute, toutes*.

1. .... les participants à la Nuit de la solidarité espèrent la naissance d'une prise de conscience des pouvoirs

   publics.

2. Les lanceurs d'alerte exercent un devoir de citoyen car on ne nous dit pas ....

3. Les révélations publiées sur WikiLeaks sont .... vérifiées en amont.

4. .... les manifestations citoyennes font naître un nouvel espoir.

5. Erin Brockovich, Antoine Deltour, Irène Frachon, ... ont osé sacrifier leur carrière pour dénoncer des

   méfaits dans leur entreprise.

6. .... la planète connaît Edward Snowden.

7. Nous croyons .... en la vertu de la liberté d'expression et de l'éthique.

8. Dans la loi Sapin, ... est question de transparence.

5. a. Écrivez le contraire. Utilisez des pronoms ou des adjectifs indéfinis différents à chaque fois. Faites les modifications nécessaires.

1. Aucun lanceur d'alerte n'a rencontré de problèmes.

   ....

2. Très peu d'entreprises ont un comité d'éthique.

   ....

3. Tout le monde connaît parfaitement les risques de dénoncer les dérives d'un système.

   ....

4. Nous sommes le même type de consommateurs qu'il y a cinquante ans.

   ....

5. Chaque publicité a un impact négatif sur le consommateur.

   ....

6. Tout est influencé par la publicité.

   ....

b. Par deux. À l'oral. Échangez sur chaque paire de phrases. Quelle est celle des deux qui vous semble vraie ? Pourquoi ?

L'accord du participe passé avec le COD placé avant le verbe

6. a. Transformez comme dans l'exemple.

Exemple : *Le journal* Le Parisien *a fait une campagne de publicité. Elle est très drôle.*

→ *La campagne de publicité que le journal* Le Parisien *a faite est très drôle.*

1. Le Secours populaire a lancé une campagne de collecte « Don'actions ». Elle permet de récolter des fonds pour développer une solidarité de proximité en toute indépendance.

....

....

2. L'Agence nationale de sécurité du médicament a mis à la disposition des lanceurs d'alerte une adresse particulière. Ceci permet de leur faciliter la tâche.

....

....

3. La ville de Lyon a ouvert ses premiers frigos solidaires. Ils sont installés dans des restaurants du 9ᵉ arrondissement.

....

4. Un jeune assistant de publicité a écrit la phrase « Parce que je le vaux bien » dans les années 1970. Elle est encore aujourd'hui le slogan officiel de la marque L'Oréal.

....

....

5. La publicité a créé des besoins. Ils ne seront jamais comblés.

....

6. Les entreprises ont introduit les notions d'éthique et de transparence. Elles leur permettent de valoriser leur image.

....

b. Entourez les participes passés dont la prononciation change.

Exemple : *La campagne de publicité qu'a faite le journal* Le Parisien *est très drôle.*

7. Identifiez et corrigez les cinq erreurs du blog portant sur l'accord du participe passé.

Il y a un an jour pour jour, j'avais réglé mon téléphone pour qu'il sonne une heure plus tôt avec comme unique obsession

d'arriver la première chez Zara pour l'ouverture des soldes d'hiver. Cette année, je l'ai réglée comme d'habitude. Parce qu'avec

le recul, je trouve ça ridicule, je n'avais besoin de rien l'année dernière et cette année encore moins. Je me rappelle très bien de

mes achats ce jour-là : des bottes marron que j'ai très peu porté, une robe de soirée que je n'ai mis qu'une fois et qui a fini au

fond de mon placard, une pochette à paillettes dont j'avais oublié l'existence et que j'ai retrouvé dans la malle à déguisements

de ma fille la semaine dernière. Je sais que c'est agaçant de passer à côté d'un manteau ou d'une paire de chaussures que l'on

a convoité pendant des semaines mais ne vous mettez pas dans un état de stress pour autant, ça n'en vaut pas la peine…

Les locutions et verbes prépositionnels pour parler d'une action

8. a. Associez les synonymes.

1. avoir pour but • • a. aboutir

2. rendre possible • • b. empêcher

3. faire attention • • c. permettre

4. rendre réceptif • • d. viser

5. avoir pour résultat • • e. sensibiliser

6. rendre impossible • • f. veiller

b. 🎧 050 **Écoutez les questions et répondez oralement avec des verbes de la deuxième colonne (a. à f.). Faites preuve d'imagination.**

Parler de la publicité

9. Entourez les expressions correctes dans l'article.

La publicité à l'heure d'Instagram

Guerlain : une des premières nouveautés / marques en France à avoir lancé sa consommation / campagne sur Instagram. Premier annonceur / acheteur Instagram, Guerlain a suscité les meilleurs taux d'engagement. La publicité pour la poudre Terracota a duré quatre semaines et a contrôlé / a ciblé les femmes françaises. Instagram s'est avéré être la plateforme parfaite pour délivrer un fort message / sondage marketing et atteindre un audimat / un public plus jeune et plus urbain.

Parler de la solidarité

10. Écrivez les mots manquants.

http://www.lacroixrouge.fr

L'action _ _ c _ _ l _ à la Croix-rouge française

Les plus démunis sont touchés par les problèmes d'_x_ _ _ _ _ _ _ et de sans-abrisme. Un bénévole donne de son temps, s'_ _ _ _ g _, se _ _ b _ _ _ _ _, coordonne des _ _ t _ _ _ _ et se porte v _ l _ _ _ _ _ _ e pour aider les personnes dans le besoin. Pour venir en aide aux s_ _ _-a _ _ _, la Croix-rouge met en place des actions régulières telles que des _ _ _ _ _ d_ _ et des s_ _ _ _ _ populaires.

Phonétique : Les liaisons

11. 🎧 051 **Écoutez et dites si la liaison est obligatoire ou interdite aux endroits indiqués.**
Exemple : Est-ce que les gen**s o**nt participé ? Oui, il**s o**nt participé.

1. – Est-ce que quelqu'u**n a** répondu à l'annonce pour faire du bénévolat ? – Oui, nou**s a**vons répondu à l'annonce hier.

2. – C'est trè**s i**mportant d'être solidaire de nos jours ! – Je suis d'accord, c'est extrêmemen**t i**mportant !

3. – C'est un succè**s i**ncroyable, vous ne trouvez pas ? – Oui, c'est incroyable… e**t i**nespéré même !

4. – Vo**s ami**s e**t** vou**s ê**tes bien conscients des difficultés, n'est-ce pas ?

   – Oui, nou**s e**n sommes bien conscients, ne vou**s i**nquiétez pas !

Nous agissons

> **Stratégie : Employer la satire pour dénoncer dans un billet d'opinion**

12. Lisez le billet d'opinion d'Amélie.

1   Bien plus grave que l'épidémie de gastro, voici venue la fièvre acheteuse. Chaque année, la même histoire : frappant ses victimes par millions avec des 60, 70 et même des 80 %, les soldes font chauffer la carte bancaire jusqu'à tuer la moindre trace de bon sens qui viendrait nous sauver d'un achat inutile . Plus, plus toujours plus !

2   Sans modération. Cédant volontiers à la pression consumériste et à l' euphorie de la promo, des millions de
3   Français partent à la conquête du Saint Graal dont ils se sont pourtant passés pendant tant d'années.
4   D'optionnel, il leur est devenu indispensable, quitte à se taper la foule hystérique dès l'entrée de la boutique et même à poser leur dernier jour de congé, histoire d'être le premier dans les starting-blocks. On ne plaisante pas
5   avec les soldes, surtout en période de crise. Un vrai bal populaire .
6   Je suis donc j'achète , sur un coup de tête et parfois même par principe, pour que la voisine ne devienne pas
7   l'heureuse héritière du dernier modèle en rayon . La raison attendra.
8   Entre compétition malsaine et folie dépensière , les soldes révèlent au grand jour les pires défauts de l'humanité,
9   à coups de caddies bondés aux frontières de la boulimie . Économiser en dépensant : en voilà un beau paradoxe !

a. Quel est le ton employé dans le billet d'opinion ? Cochez.

☐ grave   ☐ sérieux   ☐ humoristique

b. Indiquez le numéro des passages du texte pour chaque procédé.

Image de la maladie : ....   Exagération : ....

Critique : ....   Phrase choc : ....

Moquerie : ....

c. Complétez la définition de la satire avec les verbes : *dénoncer, réagir, critiquer*.

La satire est le fait de .... en se moquant. Elle permet de .... des défauts,

des problèmes pour faire changer les choses ou faire .... et réfléchir.

> **Production écrite**

13. Écrivez un billet d'opinion pour dénoncer les méfaits de la surconsommation (le Black Friday, les produits jetables, l'obsolescence programmée…). Utilisez les procédés propres au texte satirique identifiés dans l'activité 12.

> **Approche interculturelle**

14. **a.** Observez l'infographie. Que comprenez-vous ?

Qui sont les Français qui font du bénévolat et pourquoi ils s'engagent ?	
13 millions de bénévoles	**Les secteurs qui mobilisent le plus**
21 % chez les moins de 35 ans	1. le social caritatif
35 % chez les plus de 65 ans	2. le sport
Les motivations	3. les loisirs
Être utile à la société	4. l'éducation populaire
Agir pour les autres	5. la culture

b. Faites des recherches et réalisez l'infographie du bénévolat dans votre pays. Présentez-la à la classe en la comparant à l'infographie française.

Nous faisons évoluer la société

Compréhension écrite

1 Vous lisez cet article dans un journal français.

À Rennes, une épicerie gratuite pour les étudiants

À une demi-heure de l'ouverture, une file d'étudiants attend déjà devant le bâtiment. «Il faut arriver tôt pour avoir plus de choix», explique Nicolo, étudiant en langues étrangères, qui vient surtout chercher «de la viande, car ça coûte trop cher». Comme lui, ils sont au moins 200, chaque lundi soir, à s'approvisionner gratuitement en produits frais, à l'épicerie gratuite de l'université de Rennes 2. Accueillis par des étudiants bénévoles, les bénéficiaires entrent progressivement pour faire leurs emplettes. «La semaine dernière, j'ai eu un poulet entier, ça m'a fait cinq jours, c'était super. Je n'avais pas mangé de viande depuis la rentrée», raconte Damien, étudiant en histoire. «Ça aide à aller jusqu'à la fin du mois», explique Marise, étudiante en psychologie.

Les bénévoles récupèrent, chaque lundi matin, des denrées proches de la date de péremption d'un supermarché local. Principalement des produits frais, des plats préparés, des viandes, agrémentés de dons de fruits et légumes de fin de marché du week-end, à Rennes.

À l'entrée de l'épicerie, on ne demande rien. Ni inscription, ni justificatifs qui pourraient freiner les étudiants ou faire craindre d'être stigmatisé. Si l'épicerie est vitale pour Erwan, étudiant en histoire qui ne peut pas toujours «faire deux repas par jour», pour d'autres, elle permet d'améliorer le quotidien : «On a pris du fromage et du jambon pour se faire une raclette, s'extasient Léna, Manon et Jérémy. Ça permet de se faire plaisir sans faire de trou dans le budget et on évite le gaspillage.»

Cette épicerie étudiante totalement gratuite, a priori unique en son genre, a en effet une double vocation : «lutter contre la précarité étudiante, mais aussi contre le gaspillage, puisque ces produits allaient tous être jetés», explique Hélène Bougaud, étudiante en urbanisme et présidente de l'association Épicerie gratuite. Une aberration, quand on sait que près de 20 % des étudiants français vivent sous le seuil de pauvreté, selon l'Igas, l'Inspection générale des affaires sociales, et qu'un étudiant sur cinq à Rennes peine à se soigner et ne mange pas à sa faim. Avec 42 % de boursiers, le campus de Sciences sociales de Rennes 2 est particulièrement touché : «L'épicerie gratuite est l'une des réponses», rapporte Olivier David, président de l'université, qui a fourni local et réfrigérateurs à l'association.

Celle-ci est sur le point de finaliser un partenariat avec la mairie de Rennes pour récupérer les plats non ouverts de deux cantines scolaires, et proposer, non plus une, mais trois distributions par semaine. Une initiative solidaire et anti-gaspillage qui pourrait essaimer, puisque trois autres universités ont déjà contacté l'épicerie, dans l'idée de monter leur propre structure.

Répondez aux questions.

1. Qu'apporte l'épicerie aux étudiants rennais ? *(Plusieurs réponses possibles, deux attendues.)*

....

2. Les dons alimentaires proviennent de…

    a. l'université.   **b.** particuliers.   **c.** supermarchés.

3. Dites si l'affirmation suivante est vraie ou fausse en cochant (x) la case correspondante et citez le passage du texte qui justifie votre réponse.

    Il faut remplir un formulaire pour se rendre à l'épicerie étudiante.   ☐ Vrai ☐ Faux

....

4. Quels sont les objectifs de l'épicerie étudiante ?

....

5. Quelle est la réalité des étudiants en France ?

....

6. Quelle est l'aide apportée par l'université de Rennes ?

....

7. Cette initiative...
    a. va se développer.   **b.** est amenée à disparaître.   **c.** va continuer sur la même lancée.

Compréhension orale.

2 🎧 ⏵052 **Vous écoutez ce bulletin d'informations à la radio. Répondez aux questions.**

1. De quel problème écologique le bulletin traite-t-il ?

....

2. Quel est l'objectif des recommandations du cabinet d'analyse ?

....

3. Citez deux mesures proposées par le cabinet. *(Plusieurs réponses possibles, deux attendues.)*

....

4. Ces recommandations sont...
    a. difficiles à accepter.   **b.** impossibles à réaliser.   **c.** simples à mettre en place.

5. Quel est le paradoxe souligné par l'un des rédacteurs du rapport concernant la transition à mener ?

....

Production orale

3 Un ami déménage et souhaite se débarrasser de ses livres. Vous discutez avec lui et tentez de le convaincre de l'intérêt de donner aux livres une seconde vie, notamment par le biais d'initiatives solidaires.

Production écrite

4 Vous lisez la publication suivante sur un site Internet. Vous réagissez à cette information et la commentez en donnant votre opinion argumentée à ce sujet. (250 mots minimum)

> **Tout ce qui peut encourager ou faciliter la générosité des Français est à saluer. Y compris la créativité.**
>
> Exemple avec Monsieur BMX, un artiste de rue qui a trouvé une idée originale : encastrer des chariots de supermarché dans les murs de Montpellier et de Nîmes pour inviter les passants à y déposer quelques dons en faveur des plus démunis et pour lutter contre la surconsommation.

Nous nous évaluons

⟩ Présenter des parcours et expliquer des choix de vie

1. 🎧))053 **Écoutez l'émission de radio. Faites les activités. Vérifiez votre score p. 25 du livret.**

a. Répondez aux questions.

1. Pourquoi Jean-Marc a-t-il été choisi pour cette émission ?

....

2. La journaliste évoque différents lieux de vie. Lesquels ? ....

3. Quelles sont les étapes du parcours de Jean-Marc ?

Après le bac : .... et ....

Premier poste : ....

Poste à la fin de sa première carrière : ....

Emploi actuel : ....

b. Complétez le tableau des différentes périodes de la vie de Jean-Marc.

Période de sa vie	Sentiments éprouvés et motivation
Scolarité / Études	Il a avancé naturellement, sans vraiment y réfléchir.
Premier poste	....
Poste à la fin de sa première carrière	....
Proposition d'un client	....
Travail actuel	....

c. Dans chaque groupe de questions, cochez celle qui a été posée avant ou pendant l'entretien. Justifiez avec un extrait de l'entretien.

1. ☐ Que préférez-vous comme lieu de rencontre ?

   ☐ Quel lieu de rencontre préférez-vous ?

Justifiez : ....

2. ☐ Qu'est-ce que vous souhaitez faire dans quelques années ?

   ☐ Qu'est-ce que vous souhaitez faire les prochaines années ?

Justifiez : ....

3. ☐ Où envisagez-vous votre vie l'année prochaine ?

   ☐ Où envisagez-vous votre vie dans quelques années ?

Justifiez : ....

4. ☐ Est-ce que vous pourriez continuer à traduire mes rapports financiers ?

   ☐ Comment est-ce que vous pourriez continuer à traduire mes rapports financiers ?

Justifiez : ....

Identifier et décrire des compétences professionnelles

2. Lisez l'article. Faites les activités. Vérifiez votre score p. 25 du livret.

Un engagement supérieur à celui d'un salarié classique !

Expérience partagée de la responsable du pôle web du groupe coopératif *Chèque déjeuner*

Après une maîtrise de littérature comparée et un stage, elle a été embauchée comme rédactrice dans une start-up. Un an et demi plus tard, elle avait l'impression d'avoir fait le tour du poste, dans une entreprise où l'on ne lui offrait aucune perspective d'évolution. En outre, que l'on parle de l'ambiance managériale ou de l'équilibre entre vies privée et professionnelle, elle se sentait insatisfaite.

Une amie lui parlait toujours avec grand plaisir de son employeur, le groupe *Chèque déjeuner*. Lorsque celle-ci lui a proposé de remettre son CV à la direction des ressources humaines pour un poste similaire, elle s'est décidée et a accepté de postuler. Lors de l'entretien de recrutement, il a été question du poste mais également des valeurs sociales du groupe, du management de proximité ainsi que des possibilités d'évolution. C'est parce que cette identité d'entreprise lui convenait qu'elle a pris le risque de démissionner d'un CDI pour un CDD, quoi que l'on en pense autour d'elle. Et surtout : elle réalisait à quel point l'économie sociale et solidaire lui offrirait le contexte de travail qu'elle recherchait dans la rédaction numérique.

Comme dans n'importe quelle entreprise, des objectifs sont fixés afin d'être toujours meilleur que la concurrence. Cependant, le management veille à ce qu'ils soient à la fois ambitieux et atteignables, le but n'étant pas de mettre les collaborateurs en situation d'échec mais plutôt  *de les pousser à émettre des propositions. De plus, tous les salariés, hommes et femmes, même après un congé maternité, bénéficient d'une promotion interne tous les trois ans, en plus des formations internes et externes régulières. Pour finir, la responsabilisation de chacun est visible : même s'il y a des horaires à respecter, il est tout à fait possible de concilier vie privée et vie professionnelle. Si l'on doit s'absenter, on peut en faire la demande et proposer une solution de récupération. Chacun étant responsable de son travail, il n'est pas nécessaire de se justifier lorsque l'on part plus tôt. Cela permet évidemment de gagner en sérénité et en convivialité tout en favorisant l'autonomie. Chacun fait ainsi de son mieux, salariés et dirigeants, afin d'entretenir un véritable lien social.*

a. Cochez les informations sur la responsable du pôle web données dans l'article puis complétez son profil.

☐ Formation : ....

☐ Poste précédent : ....

☐ Domaine d'expertise : ....

☐ Tâche exécutée : ....

☐ Responsabilité assumée : ....

☐ Années d'expérience dans le groupe : ....

b. Donnez un exemple des caractéristiques de l'entreprise mises en avant par la responsable.

1. Le management de proximité : ....

2. Les possibilités d'évolution : ....

c. Entourez les compétences valorisées par l'entreprise.

La capacité à s'organiser pour atteindre les objectifs	Les compétences techniques
La capacité d'initiative	La fiabilité
La capacité à gérer le stress	La capacité à actualiser ses connaissances
Savoir collaborer et communiquer	La connaissance et le respect des règles
Le sens des responsabilités	Avoir l'esprit d'entreprise

Mon score ...... /10

Le discours indirect pour rapporter des paroles au présent ou au passé

3. a. 🎧))054 **Écoutez le message de la mère de Félix. Cochez les phrases correspondantes rapportées au discours indirect.**

1. ☐ a. Elle lui dit que ça va.

   ☐ b. Elle lui demande si ça va.

2. ☐ a. Elle dit qu'elle a bien eu son message mais qu'elle ne comprend rien.

   ☐ b. Elle veut savoir s'il a bien eu son message, s'il ne comprend rien.

3. ☐ a. Elle demande ce qu'il voulait lui dire.

   ☐ b. Elle demande que voulait-il lui dire.

4. ☐ a. Elle s'exclame qu'elle avait laissé le téléphone dans la maison.

   ☐ b. Elle lui reproche d'avoir laissé le téléphone dans la maison.

5. ☐ a. Elle se demande si elle a oublié son entretien d'aujourd'hui.

   ☐ b. Elle se demande comment elle a pu oublier son entretien d'aujourd'hui.

6. ☐ a. Elle lui dit de la rappeler avant 7 heures car elle doit sortir.

   ☐ b. Elle lui dit qu'il peut la rappeler avant 7 heures car elle doit sortir.

b. 🎧))055 **Écoutez le dialogue entre Félix et sa mère. Soulignez les formes verbales correctes des phrases qui ont été dites au discours direct.**

1. « Ce sera / Ce serait une évaluation de mon profil et de mes compétences. »

2. « Tu croiseras / Croise les doigts pour moi. »

3. « Pouvez-vous / Pourrez-vous passer un test en ligne demain ? »

4. « Qu'est-ce que tu en penses / tu en pensais ? »

5. « J'ai analysé / J'avais analysé les résultats de votre test et il faut / fallait en discuter. »

6. « Je propose que nous nous rencontrions aujourd'hui / Rencontrons-nous aujourd'hui, c'est toujours de cette manière qu'on finalise / qu'on finalisait le test. »

4. a. **Indiquez le type de paroles que les verbes introducteurs permettent de rapporter. Plusieurs réponses sont parfois possibles.**

	Affirmation	Ordre ou demande	Question
1. dire			
2. vouloir savoir			
3. admettre			
4. préciser			
5. affirmer			
6. déclarer			
7. demander			
8. exiger			
9. expliquer			
10. ordonner			
11. répondre			
12. assurer			

b. **Complétez les notes prises par le responsable de Félix pendant son entretien. Utilisez des verbes du tableau au passé composé.**

1. L'étudiant .... si ses résultats auraient des conséquences sur ses études.

2. Je lui .... que cela serait seulement une aide dans son orientation.

3. Concernant les premières conclusions, Félix .... qu'il n'était pas vraiment surpris.

4. Cependant, il .... que je lui explique certains scores.

5. Comme il semblait inquiet, je lui .... que l'objectif était de l'aider.

6. Avant les dernières conclusions, je lui .... comment il pouvait améliorer ses compétences.

5. **Rédigez un texte rapportant l'interview de Geneviève, auteure de théâtre. Faites les modifications nécessaires.**

Interview de Geneviève, 10 heures, le 23/3/2019

— Bonjour Geneviève ! Et merci de répondre à nos questions aujourd'hui ! Pouvons-nous commencer par votre actualité ?

— Oui, volontiers ! Hier, j'ai signé un contrat pour entrer dans une nouvelle vie !

— Que pouvez-vous me dire de cette nouvelle vie ?

— La semaine prochaine, je serai une auteure de théâtre à plein temps, une débutante de 50 ans… !

— Résumez votre parcours pour que je vous comprenne bien…

— Il y a deux ans encore, j'étais expatriée à Pékin. J'avais travaillé pour une grande entreprise puis j'avais ouvert mon propre studio. Je ne m'intéressais pas professionnellement au théâtre, seulement dans le cadre de mes loisirs.

— Comment êtes-vous arrivée à la création ?

— J'ai rencontré une troupe de comédiens l'année dernière. Ils m'ont fait réaliser que ma vie d'expatriée en Chine comportait des éléments de théâtre !

Le journaliste a commencé par remercier Geneviève puis il lui a demandé ....

....

....

....

....

....

....

....

....

....

Le registre soutenu

6. **Réécrivez les phrases avec des marques du registre soutenu quand c'est possible. Utilisez *lorsque*, *également* et *l'*.**

1. Quand on observe les résultats des entreprises et qu'on regarde plus précisément les performances de leurs salariés, un constat s'impose.

....

....

2. En effet, quoiqu'on s'attache aux compétences professionnelles, on réalise aussi l'importance des qualités humaines.

....

....

3. Si on souhaite les développer, on doit ainsi aller au-delà des compétences traditionnellement visées par les formations.

....

....

4. Puisqu'on sait que les performances sont directement liées à la connaissance de soi, nous proposons différentes formations pour améliorer les prises de décisions.

....

....

5. Qu'on choisisse des ateliers suivis d'entretiens, ou qu'on préfère rester en grand groupe, chacun peut en tirer bénéfice.

....

....

6. Les ateliers et entretiens créent des moments où on établit une intimité favorable pour révéler ses qualités humaines cachées.

....

....

7. Au contraire, quand on est en grand groupe, on fait l'expérience d'une dynamique de groupe qui est aussi bénéfique aux prises de conscience de ses forces et de ses faiblesses.

....

....

Décrire des compétences professionnelles

7. a. 🎧 ▶056 **Écoutez des extraits de profils de poste et écrivez le numéro correspondant devant la compétence évoquée.**

☐ La capacité à s'organiser, à prioriser les tâches   ☐ La créativité

☐ La capacité à actualiser ses connaissances   ☐ La capacité à travailler sous pression

☐ La connaissance et le respect des règles

b. **Trouvez une profession pour chaque profil de poste.**

1. ....   4. ....

2. ....   5. ....

3. ....

Nous agissons

8. Observez la carte mentale des compétences professionnelles du futur.

1. Collaboration à distance

6. Communication par le numérique

2. Créativité et sens de l'innovation

COMPÉTENCES DU FUTUR

5. Apprendre à apprendre

3. Esprit d'initiative et d'entreprise

4. S'organiser efficacement

a. Indiquez à quelle compétence de la carte mentale appartiennent les tâches suivantes.

☐ Gestion des contenus en ligne de l'entreprise

☐ Communication avec les collaborateurs expatriés

☐ Participation trimestrielle aux formations internes proposées

☐ Conception de produits multimédias originaux

☐ Création de sa propre activité

☐ Contrôle et gestion de son activité

b. Faites la liste des tâches que vous effectuez déjà ou que vous apprenez à effectuer. Déterminez à quelle(s) compétence(s) du futur elles appartiennent.

....	
....	
....	
....	
....	

9. À l'oral. Préparez puis enregistrez votre candidature à un poste d'un métier du futur que vous déposerez sur un service d'emploi en ligne. Imaginez ce métier, présentez brièvement vos compétences. Donnez des exemples de tâches que vous accomplissez et qui sont propres à votre profession.

10. Chaque année en France, les salarié(e)s rencontrent leur responsable pour un entretien. Ils/Elles remplissent ensemble une grille d'évaluation des savoir-faire et des savoir être de l'employé(e), notent les points forts et les points d'amélioration, et précisent ses projets professionnels.

a. Qu'en pensez-vous ?

b. Une telle rencontre formelle existe-t-elle dans votre pays ? Quel est le mode d'évaluation des employé(e)s par leur(s) responsable(s) ?

c. Comparez les deux modes d'évaluation.

Nous nous évaluons

Communiquer en contexte professionnel

1. 🎧▶057 Écoutez la conversation entre deux collègues de travail. Faites les activités. Vérifiez votre score p. 26 du livret.

a. Cochez le bon résumé de la conversation.

☐ 1. Iwona sollicite Hélène au sujet des normes de communication. Une nouvelle employée, Alice, en recommande de nouvelles. Selon Hélène, « Cordialement » n'est pas adapté à toutes les situations, elle préfère « Bien à vous ». Pour les clients, elle recommande les salutations à la mode.

☐ 2. Iwona sollicite Hélène au sujet des normes de communication écrite. Une nouvelle employée, Alice, en recommande de nouvelles. Selon Hélène, « Bien à vous » n'est pas adapté à toutes les situations, elle préfère « Cordialement ». Pour les clients, elle recommande des salutations traditionnelles raffinées.

b. Répondez aux questions avec des extraits du dialogue.

1. Quel âge ont les stagiaires ?

....

2. Alice travaille-t-elle depuis longtemps dans l'entreprise ?

....

3. Selon la rumeur, Alice pourrait-elle quitter l'entreprise ?

....

4. Quelle est la réaction d'Iwona face au nouveau mémo ?

....

5. Quel risque y a-t-il à avoir plusieurs règles différentes ?

....

c. Associez chaque extrait aux expressions que remplacent les doubles pronoms compléments.

1. Je les leur ai expliquées.

2. Montre-le-moi.

3. Je les leur donnais comme exemple.

4. Je leur en fais part.

5. Ils devront toujours te les soumettre

a. aux stagiaires

b. à Hélène

c. à Iwona

A. de nos doutes

B. des normes de communication écrite

C. les méls importants

D. les formules « Cordialement », « Très cordialement », « Bien cordialement »

E. le mémo

F. les normes de communication écrite

d. Reportez-vous à la transcription du dialogue p. 26 du livret. Retrouvez les expressions de même sens. Puis indiquez la figure de style utilisée : un euphémisme, une litote ou une hyperbole.

1. Hélène a beaucoup d'expérience en communication professionnelle écrite.

.... →.................................

2. Hélène est contente que sa collègue passe dans son bureau.

.... →.................................

3. Les modifications sont importantes.

.... →.................................

Mon score ...... /10

Comprendre un métier et un environnement professionnel
Exprimer un point de vue argumenté sur une question liée au travail

2. Lisez cet article paru dans la presse. Faites les activités. Vérifiez votre score p. 27 du livret.

Licenciement massif dans un hôtel japonais !

L'établissement Henn-na rêvait d'être le premier hôtel au monde entièrement géré par des robots. Il est aujourd'hui le premier à les avoir virés...

Ouvert triomphalement en 2015, l'hôtel Henn-na (« étrange » en japonais) était tenu par 243 robots et huit humains. Des chariots à bagages automatisés, des humanoïdes souriants et des robots-dinosaures à la réception, des assistants vocaux dans la chambre, des robots-poissons dans l'aquarium, un système de reconnaissance faciale pour ouvrir les chambres... L'objectif était (évidemment) de réduire les coûts en assignant les machines à des tâches plus ou moins simples. Une manière comme une autre de répondre au manque de main-d'œuvre et au déficit démographique du Japon.

Si ces robots avaient rapidement séduit le patron de l'hôtel (un robot, ça ne bavarde pas, ça ne demande pas d'augmentation de salaire, ça ne fait pas grève et ça bosse 24 heures sur 24), les nombreuses pannes les ont cependant vite rendus incontrôlables et, selon les clients, « inopérants », voire « agaçants ». Bref, ils n'auront pas tenu bien longtemps, les pauvres, puisque la moitié d'entre eux a été virée. Premier bug, dès l'arrivée : les « réceptionnistes » à la voix de canard étaient, sinon incapables, du moins inutiles puisqu'ils ne répondaient à aucune question (depuis des questions touristiques jusqu'aux horaires des vols : rien) et renvoyaient simplement aux écrans tactiles. Venaient ensuite les chariots à bagages automatiques, qui auraient enfin pu montrer la supériorité musculaire des machines sur l'homme. Malheureusement leurs misérables roulettes ne pouvaient atteindre que 24 des 100 chambres de l'établissement et pire encore : « lents et bruyants », ils faisaient des bruits atroces en cas de pluie ou de neige. De quoi devenir fou, même pour les plus patients d'entre nous ! Et ce n'est pas fini : arrivés dans leur chambre, les clients trouvaient un assistant-robot chargé de régler la luminosité ou de répondre à leurs questions, sauf que... le petit robot rose prenait les ronflements* des clients pour des questions et les réveillait en pleine nuit en braillant : « Pardon, je n'ai pas compris. Pouvez-vous répéter votre demande ? » On en reste soufflé. Pour des vacances reposantes, on a vu mieux...

L'hôtel s'est donc tourné vers une valeur sûre pour tenir son établissement comme il se doit : les êtres humains. Cet échec n'a pas pour autant découragé les dirigeants du Henn-na qui comptent toujours bien faire de leurs hôtels des établissements 100 % gérés par des robots, et qui attribuent ces dysfonctionnements à l'âge des robots (quatre ans, *oh my god !*). Que ceux qui craignent que les robots nous remplacent soient rassurés, ce n'est vraiment pas pour aujourd'hui !

* un ronflement : bruit fort de respiration produit quand on dort.

a. Complétez la présentation de l'équipe de robots de l'hôtel.

Types de robots employés	Tâches assignées	Difficultés rencontrées
1. Robots-dinosaures		
2. Chariots à bagages automatisés		
3. Assistants vocaux		
4. Robots-poisson		
5. Système de reconnaissance faciale		

b. Attribuez les opinions suivantes aux dirigeants de l'hôtel (D) ou aux clients (C).

1. Même si les robots leur ont plu au début, ils sont vite devenus ingérables. ☐ D ☐ C

2. On peut au minimum dire qu'ils ne servent à rien. ☐ D ☐ C

3. Ils pouvaient seulement remplir un quart de leurs missions. ☐ D ☐ C

4. Malgré cet échec, ils restent optimistes. ☐ D ☐ C

Mon score ...... /10

La double pronominalisation pour ne pas répéter

3. 🎧 ▶058 **Écoutez les échanges pendant une formation en bibliothèque. Soulignez la reformulation avec un double pronom correspondante.**

1.
| Nous pourrons les leur prêter ? | Ils pourront nous les prêter ? |

2.
| On peut les leur commander ? | On peut leur en commander ? |

3.
| Vous leur en devez. | Vous devez leur en parler. |

4.
| On ne les y garde pas ? | On n'y en garde pas ? |

5.
| Notez-les-leur bien ! | Notez-les-y bien ! |

6.
| Je peux essayer de le lui trouver ? | Je peux essayer de vous le trouver ? |

4. **Répondez aux questions d'un stagiaire en évitant les répétitions.**

1. Est-ce que vous m'avez transmis les documents à photocopier ?

Non, ...

2. Je vais ensuite envoyer ces documents à la comptable, c'est ça ?

Oui, ...

3. Le dossier, je le transmets au directeur dès que possible, n'est-ce pas ?

Oui, transmettez ....

4. Et je vous donne aussi une copie de ce dossier ?

Non, ne ....

5. Est-ce que je dois donner des courriers recommandés au facteur ? (deux courriers)

Oui, ...

6. Excusez-moi, c'est moi qui ai mis ces originaux dans le photocopieur ?

Oui, c'est ....

5. **À l'oral. Reformulez ces phrases en changeant de pronom comme indiqué.**

1. *à vous :* « Bien à vous », je vous l'ai déjà écrit.   → *à lui*

2. *à eux :* Ces salutations, je ne les leur ai jamais adressées.   → *à toi*

3. *à elle :* Vos dates de congés, donnez-les-lui sans tarder !   → *à moi*

4. *à nous :* La procédure de remboursement, il nous l'a encore répétée.   → *à elle*

5. *moi :* La réunion ? Oui, vous m'y avez déjà invité.   → *elles*

6. *à toi :* L'audit financier, je t'en ai parlé, n'est-ce pas ?   → *à eux*

Nous pratiquons > MOTS ET EXPRESSIONS

Quelques figures de style

6. a. 🎧)059 **Écoutez et indiquez le numéro de la réponse correcte à chaque déclaration.**

☐ a. Je ne suis pas débordée du tout, c'est vrai…

☐ b. Écoute, je ne suis pas fan de cette expression, c'est tout.

☐ c. Vraiment, des méls comme ça, ça devrait être un motif de licenciement !

☐ d. Non mais attends, je rêve ! C'est du délire total !

☐ e. Tu sais, on a tous compris que l'orthographe et lui, c'est un peu difficile…

☐ f. Oui, j'ai entendu que sa gestion du projet avait été un peu critiquée, en effet.

b. 🎧)060 **Écoutez les dialogues complets. Identifiez les figures de style utilisées :**
un euphémisme, une litote, une antiphrase ou une hyperbole.

1. ....

2. ....

3. ....

4. ....

5. ....

6. ....

7. À l'oral. Formulez des phrases selon le contexte avec les figures de style indiquées.

1. Vos collègues vous proposent d'aller voir un film qui n'est pas du tout à votre goût mais vous ne voulez surtout pas les offenser. → une litote

2. Vous exprimez votre opinion concernant la dernière formation à laquelle vous avez assisté, sachant qu'elle ne vous a pas beaucoup plu. → un euphémisme

3. Votre meilleur(e) ami(e) vous interroge sur votre nouveau responsable. Vous le/la détestez. → une antiphrase

4. Vous voulez convaincre vos camarades d'aller dans votre restaurant préféré. → une hyperbole

Le registre familier

8. Complétez le dialogue avec les expressions familières suivantes : *débarquer, se barrer, être soufflé, paumé,*
une gamine. **Faites les modifications nécessaires.**

– Hier, j'ai assisté à une réunion vraiment incroyable. Tu vois, normalement, c'était seulement notre service et mon responsable devait animer une réunion. Et là, devine qui ....? Le patron !

– Ton patron ! Mais c'est exceptionnel ça ! Vous avez dû tous ....! Et pourquoi est-il venu ?

– Il était furieux parce que mon responsable a pris sa fille comme stagiaire cet été. Le patron a vu son contrat de stage avec la rémunération et il trouve incroyable que .... inexpérimentée soit payée autant sous prétexte que c'est la fille du manager !

– Et qu'est-ce qui s'est passé ensuite ?

– Ben il a fait son petit discours, mon responsable n'a pas dit un mot, il avait l'air totalement ....Puis le boss ....en claquant la porte !

9. 🎧►061 **Écoutez ces opinions sur les communications écrites professionnelles dans différents pays. Cochez la reformulation correcte.**

1. ☐ La longueur des signatures allemandes peut être surprenante.

   ☐ La succession de titres dans les signatures en Allemagne peut choquer.

2. ☐ Les formules de politesse aux États-Unis sont trop simples.

   ☐ Les formules de politesse américaines sont aussi polies que les françaises.

3. ☐ Les formules de fin de lettre dans les méls doivent se moderniser.

   ☐ Les traditions françaises doivent être conservées, elles ne sont pas lourdes.

4. ☐ Utiliser les prénoms dans la vie professionnelle n'est pas approprié.

   ☐ Utiliser les prénoms des salariés, c'est les traiter comme des enfants.

10. **Exprimez votre opinion nuancée sur ces comportements dans le contexte professionnel. Utilisez les expressions suivantes :** *pour autant, sinon … du moins.*

1. se faire la bise au travail : ....

   ....

2. parler de sa vie privée : ....

   ....

3. critiquer des collègues : ....

   ....

4. prendre souvent des jours de congé plutôt que des semaines entières : ....

   ....

11. 🎧►062 **Écoutez et complétez les phrases avec un des mots de la liste.**

1. leur – leurs – l'heure

   Mes collaborateurs, je .... annonce toujours mes intentions avant de prendre la moindre décision.

2. cent – sans – s'en – c'en

   .... est bientôt terminé de toutes ces démarches pour obtenir enfin l'approbation du conseil d'administration !

3. court – cours – cour – coure

   Il faudra vraiment que je .... moins après les résultats, si je veux préserver toute mon énergie pour réussir les tâches les plus simples.

4. fin – faim – feint

   Je ne crois pas que la .... justifie les moyens dans toutes les situations de la vie professionnelle.

5. compte – conte – comte

   Au bout du ...., il faudra bien que je finisse de rédiger ce rapport avant la fin de la journée, avec ou sans aide de mes collègues.

Nous agissons

> ### Stratégie : Rédiger un mél professionnel

12. Lisez ces méls professionnels.

1.

Madame, Monsieur,

J'ai l'honneur de vous adresser ma candidature au poste de chargé de projet que vous offrez, mon expérience comme mon niveau d'études correspondant à votre annonce.

Je serais très heureux de vous rencontrer afin de vous exposer mes motivations.

Dans cette attente, je me permets de joindre à ce courrier mon CV ainsi qu'une lettre de motivation.

Je vous prie de recevoir, Madame, Monsieur, mes plus sincères salutations.

Pierre Larudet

2.

Madame,

Faisant suite à votre demande du 10 janvier dernier, je vous prie de trouver ci-joint notre programme de formations de Team building.

Je me permettrai de vous contacter prochainement afin de mieux connaître vos besoins spécifiques et de vous proposer une solution sur mesure.

Nous nous tenons à votre disposition pour toute question.

Bien cordialement,

Géraldine Halot

Chargée de promotion

3.

Chère Madame Leroux

À l'occasion du lancement de notre **gamme printemps-été**, nous vous avons réservé une surprise : **15% de remise sur votre prochaine commande !**

Cliente fidèle depuis dix ans déjà, nous regrettons votre absence depuis quelques mois.

Nous espérons que nos services ne vous ont pas déçue et que nous aurons la chance de vous retrouver prochainement !

Bien à vous,

Antoine Durtour

Responsable du Service client

Indiquez le numéro du mél dont relève chaque information.

Nature du mél
- [ ] Mél de motivation
- [ ] Réponse à un mél
- [ ] Mél d'offre commerciale

Objet du mél
- [ ] Offre exceptionnelle
- [ ] Présentation de la candidature et résumé des motivations
- [ ] Référence au message précédent et réponse à la demande

Contenu
- [ ] Proposition de rencontre en face à face
- [ ] Rappel des relations passées
- [ ] Proposition commerciale

Type de demande
- [ ] Offre de renseignements
- [ ] Espoir de collaborer à nouveau
- [ ] Demande polie de réponse

> ### Production écrite

13. Répondez à un des méls de l'activité 12. Prenez soin d'utiliser les formules adaptées au contexte (atténuation, nuance). Choisissez bien vos formules de politesse.

> ### Approche interculturelle

14. Depuis 2003, l'opération « J'aime ma boîte » a pour vocation de rassembler salariés et entrepreneurs autour de leur entreprise pour une journée festive.
Un événement similaire existe-t-il dans votre pays ? Encourage-t-on les employés et les responsables à cultiver l'esprit d'entreprise de manière festive ? Qu'en pensez-vous ?

Nous agissons au travail

Compréhension écrite

1 Vous lisez cet article dans un journal français.

Transhumanisme et travail : danger ou opportunité ?

Tantôt décrit comme un espoir pour l'humanité ou une idéologie dangereuse, le transhumanisme fait débat, tant sur le plan médical que philosophique : quelles avancées sont réellement possibles et éthiquement acceptables ?

À l'heure où la robotisation a déjà fortement touché nos emplois, le développement du transhumanisme appelle aujourd'hui à la vigilance quant à ses impacts sur le monde du travail. François Berger, neuro-oncologue et directeur à l'INSERM, explique pourquoi il prône la méfiance face aux promesses transhumanistes.

Pour commencer, qu'est-ce que le transhumanisme ?
Au contraire de la réparation de l'homme malade, c'est l'augmentation de l'homme sain à l'aide de drogues, de technologies, voire de modifications génétiques. Le transhumanisme fait encore aujourd'hui figure de science-fiction. Mais en sommes-nous encore au stade de la théorie ou le transhumanisme est-il déjà une réalité ? Il se trouve que l'apport des micro-nanotechnologies et des technologies de l'information comme l'intelligence artificielle permet de disposer d'implants, par exemple rétiniens[1], qui sont déjà utilisés en clinique chez les patients aveugles. Certains dispositifs pour le cerveau existent également pour des patients handicapés tétraplégiques[2]. Il faut toutefois faire attention au fait que ces technologies génèrent des fantasmes (créer des surhommes immortels par exemple).

Concrètement, comment le transhumanisme va-t-il se manifester dans le monde du travail ? Est-ce une façon de prévenir les pathologies liées au travail ?
La prévention des maladies liées au travail n'entre pas dans le champ du transhumanisme mais dans celui de la médecine. Par exemple, le travail de prévention sur l'exposition aux facteurs de risque du monde du travail fait partie intégrante de la médecine du travail moderne. C'est d'ailleurs une des premières utilisations des exosquelettes[3] qui permettent aux militaires et aux ouvriers de moins subir les charges lourdes, dangereuses pour les os et les articulations. Il s'agit aussi d'éviter, à l'aide de bras robotisés commandés à distance, la toxicité d'environnements radioactifs, par exemple. En revanche, l'utilisation d'implants connectés au cerveau du pilote de chasse pour détecter l'attaque d'un ennemi avant même qu'il en ait conscience, ou l'utilisation de drogues pour neutraliser le sommeil sont des exemples pour lesquels des problèmes médicaux et éthiques se posent de façon évidente. Alors qu'une utilisation éthique, médicale et encadrée des technologies permettrait d'améliorer la productivité au travail, le transhumanisme vise à libéraliser ces développements en dehors de tout contrôle, sans se soucier des effets secondaires. Cette libéralisation doit être combattue.

D'après www.lemonde-apres.com

1. rétiniens : dans la partie au fond de l'œil qui reçoit les impressions lumineuses et permet de voir.
2. tétraplégiques : paralysés des quatre membres. 3. exosquelettes : nouvelles technologies d'assistance physique.

Répondez aux questions.

1. Quel est le paradoxe évoqué par l'auteur concernant les points de vue sur le transhumanisme ?

....

2. Concernant le transhumanisme, François Bergé est…

a. confiant. **b.** sceptique. **c.** méfiant.

3. Reformulez la définition du transhumanisme avec vos propres mots.

4. Quelle alerte lance François Bergé concernant l'utilisation de l'intelligence artificielle sur l'homme ?

5. Cochez la bonne case et justifiez avec un extrait de l'article.

Selon François Bergé, le travail sur la prévention des risques au travail concerne directement

le transhumanisme.   ☐ Vrai   ☐ Faux

6. Donnez deux exemples d'innovations technologiques pour la prévention des pathologies dans le domaine du travail.

7. Le risque majeur du transhumanisme pour François Bergé est que les nouvelles technologies…

    a. dépassent l'être humain.   **b.** deviennent incontrôlables.   **c.** remplacent les travailleurs.

Compréhension orale

2 🎧 M063 **Vous écoutez une émission de radio française. Répondez aux questions.**

    1. Selon l'émission, une mauvaise maîtrise de l'orthographe peut mener à…

      a. la perte d'un emploi.   **b.** une diminution de salaire.   **c.** un manque de reconnaissance.

    2. Quelle solution est proposée par l'entreprise motoblouz.com pour remédier aux problèmes d'orthographe ?

    3. Quel est le rôle d'Isaline Demonchy dans ce projet ?

    4. Qu'est-ce qui pose le plus problème aux moins de trente ans qui ont des problèmes avec l'orthographe ?

      a. L'évolution de carrière.   **b.** Les remarques des collègues.   **c.** Le recrutement dans l'entreprise.

Production orale

3 À deux, vous simulez la première partie d'un entretien d'embauche dans laquelle vous présentez votre expérience et mettez en valeur vos compétences. Votre partenaire vous donne ensuite des conseils pour améliorer votre présentation.

Production écrite

> **Marie22** : Bonjour à tous. Je suis belge et je vis au Japon depuis deux ans. Je remarque beaucoup de différences culturelles qui peuvent parfois créer des malentendus ! Par exemple, l'autre jour, j'ai eu un problème de transport, je suis arrivée au travail en courant juste à temps pour une réunion, et tous mes collègues m'ont jeté des regards accusateurs parce que j'aurais dû arriver en avance et non juste à l'heure ! Et vous, avez-vous déjà rencontré des difficultés culturelles ?

4 Vous lisez ce témoignage sur un forum de discussion. Vous réagissez à cette publication et la commentez en exprimant votre point de vue et en racontant votre expérience à l'aide d'exemples précis. (250 mots minimum)

Nous nous évaluons

> **Présenter des expériences novatrices**

1. Lisez l'article d'un magazine pour étudiants. Faites les activités. Vérifiez votre score p. 29 du livret.

Écoles d'ingénieurs : une nouvelle pédagogie fondée sur la « résolution de problème »

Démodés les cours magistraux en amphi ? Les écoles d'ingénieurs recourent de plus en plus aux « pédagogies actives » et à l'approche par compétences.

Au Cesi de La Rochelle

Identifier l'algorithme de chiffrement du message envoyé par un vaisseau spatial ennemi. Eva, Justin, Paul et la douzaine de jeunes chargés de cette mission ne sont pas les héros du dernier blockbuster signé Steven Spielberg, mais des élèves de deuxième année d'informatique du Cesi, une école d'ingénieurs post-bac, installée à La Rochelle.

Des étudiants qui ne savent pas ce que c'est qu'un cours en amphi, et pour cause : l'essentiel des formations d'ingénieurs du groupe est fondé sur la « résolution de problème », une pédagogie innovante rapportée d'outre-Atlantique par son directeur au milieu des années 2000.

Au Cesi, une semaine type commence par un cas comme celui-ci (un « Prosit »), présenté par l'enseignant. Comme dans une équipe d'ingénieurs, les étudiants doivent se répartir les rôles (l'animateur, le secrétaire...) et identifier le problème à résoudre. Ils ont un jour et demi ensuite pour tenter de trouver une solution, sur la base des documents fournis par l'école.

L'exercice se termine par une « restitution », au cours de laquelle l'équipe présente ses résultats, suivie le lendemain par une évaluation. *« Les Prosit sont l'occasion de mettre en pratique et de consolider les compétences qui viennent d'être acquises »*, explique M. Saveuse, le directeur des études du Cesi.

Des professeurs accompagnateurs

Les professeurs – qu'on appelle ici les tuteurs ou les pilotes – sont là pour *« questionner, écouter et accompagner les étudiants dans leur cheminement »*, énumère Jean-Louis Allard, directeur de Cesi école d'ingénieurs. Une approche qui nécessite un « changement de posture » et une bonne dose de formation.

Répondre aux nouvelles attentes des entreprises

Communication, autonomie, prise de parole en public, travail en équipe, gestion des priorités... En faisant de l'étudiant l'acteur de son enseignement, dans des situations proches de celles auxquelles il serait confronté en entreprise, ces pédagogies permettent de développer les fameuses *soft skills* (compétences humaines). Un must aujourd'hui selon les entreprises.

a. Cochez la/les bonne(s) réponse(s).

1. L'article parle d'une pédagogie...

☐ traditionnelle.

☐ novatrice.

☐ inconnue.

2. Cette pédagogie repose sur...

☐ une alternance de cours magistraux et de travaux pratiques.

☐ des travaux pratiques.

☐ des cours magistraux.

☐ du travail en petits groupes.

☐ une réflexion collective des étudiants sur des situations proches du réel.

☐ des projets individuels.

☐ l'élaboration de raisonnements.

b. Complétez la présentation du Prosit.

Les 5 étapes :

1. ....

4. ....

2. ....

5. ....

3. ....

Posture de l'étudiant : ....

Posture de l'enseignant : ....

c. Présentez les objectifs des Prosit et les fonctions de l'enseignant avec des nominalisations.

1. Les deux objectifs des Prosit : ....

2. Les trois fonctions de l'enseignant : ....

....

Mon score ...... /10

Donner des explications / Parler de l'apprentissage des langues

2. ⌕ ►064 Écoutez l'interview. Faites les activités. Vérifiez votre score p. 29 du livret.

a. Complétez la fiche d'identité d'Alex.

Fiche d'identité d'Alex
....

Nationalité : ....

Langue maternelle : ....

Nombre de langues étrangères apprises : ....

Parmi lesquelles : ....

....

b. Répondez aux questions :

1. Quelle aptitude particulière Alex possède-t-il ?

....

2. Pourquoi la ville de Chicago est-elle particulièrement bien adaptée à Alex ?

....

3. Que manque-t-il encore à Alex ?

....

c. Complétez le tableau sur les méthodes d'apprentissage d'Alex.

	Méthode 1	Méthode 2	Méthode 3
Support	....	....	....
Utilisation		....	....
		....	....
Compétence(s) travaillée(s)		....	....

Mon score ...... /10

Les propositions relatives pour exprimer un souhait ou un but

3. **a.** Associez les débuts et les fins de phrases.

1. Le lycée recherche un professeur qui

2. Nous voulons former des élèves qui

3. J'aimerais apprendre une langue qui

4. On doit développer une pédagogie qui

5. Il faudrait que je pratique l'espagnol avec quelqu'un qui

6. On doit proposer des cursus qui

a. (mettre) l'élève au centre de l'apprentissage.

b. (être parlée) dans de nombreux pays.

c. (correspondre) au profil de chacun.

d. (m'apprendre) des expressions idiomatiques.

e. (savoir) raisonner par eux-mêmes.

f. (pouvoir) former ses collègues à la pédagogie inversée.

b. Écrivez les phrases en mettant le verbe entre parenthèses au bon mode.

1. ....

2. ....

3. ....

4. ....

5. ....

6. ....

4. Indicatif ou subjonctif ? Entourez la forme correcte dans l'article.

Un avenir pour les Mooc

Les Mooc qui (sont pensés) / soient pensés pour permettre à tout un chacun de se former, touchent finalement un public restreint. « L'autoformation reste un phénomène assez élitiste parmi des étudiants qui sont / soient déjà très engagés », constate ainsi Matthieu Cisel, normalien et chercheur à l'université Paris-Descartes dans un article du *Monde*. IFP School, école d'ingénieur spécialisée dans les domaines de l'énergie et de la mobilité durable, a pourtant décidé d'investir dans les Mooc. Elle souhaite proposer un nouveau modèle qui peut / puisse séduire le plus grand nombre et qui connaîtra / connaisse enfin le succès. C'est un modèle bien loin de celui que l'on connaît qui se restreint / se restreigne à un cours filmé de deux heures complété d'un QCM. La formule qu'IFP School veut mettre en place est une vidéo qui a / ait une durée de cinq à huit minutes et qui répond / réponde ainsi aux consommations Internet de la jeune génération. Après chaque session, les programmeurs souhaitent créer un mini-jeu ou serious game qui permettra / permette de mettre concrètement en application les connaissances acquises.

5. Exprimez un souhait ou un but à partir de la photo avec une proposition relative introduite par *qui*.

....

....

....

....

La valeur du subjonctif dans l'expression de l'opinion

6. À l'oral. Reformulez les propos de chaque personne avec les expressions entre parenthèses.

Débat : Pour ou contre l'école numérique ?

1. Bien sûr ! Le téléphone portable peut être un outil pédagogique !

2. Je suis contre l'utilisation de tout type d'écran en salle de classe. Cela ne permet pas une meilleure concentration ou créativité des élèves. Bien au contraire !

3. Steve Jobs avait dit que ses enfants n'avaient jamais utilisé d'iPad. Cela prouve bien qu'il y a un risque !

4. Il faut vivre avec son temps. Les outils numériques renforcent la motivation des élèves.

5. La nécessité d'équiper chaque classe de tablettes et de tableaux numériques est une catastrophe environnementale !

6. L'école numérique n'est pas un désastre comme certains le disent. Au contraire, il faut y voir une opportunité.

1. (je crois que)	4. (je crois que – je trouve que)
2. (je ne pense pas que)	5. (le fait que)
3. (le fait que)	6. (je ne crois pas que – je pense que)

La nominalisation pour synthétiser et mettre en valeur des informations

7. Donnez un titre à chaque brève. Utilisez la nominalisation.

1. ....

La police sud-africaine a arrêté 31 étudiants, mardi, lors d'une manifestation sur le campus de l'université de Witwatersrand à Johannesburg.

2. ....

Les écoles se noient sous la paperasse. Les contrats aidés, en charge des tâches administratives, sont supprimés. Les directeurs des écoles protestent contre ces réductions de personnel.

3. ....

Le fondateur d'Iliad-Free, Xavier Niel, a présenté mardi 26 mars une nouvelle formation à l'informatique, qui ouvrira ses portes en novembre prochain. Ouverte à tous les 18-30 ans, sans condition de diplôme, la scolarité sera gratuite pour les 1 000 personnes sélectionnées.

4. ....

Dans le cadre du plan Espoir banlieues, les écoles de production ont obtenu un financement exceptionnel. Basées sur le principe du « faire pour apprendre », ces écoles accueillent des jeunes sortis du système scolaire.

8. a. 🎧 ▸ 065 Écoutez la présentation de la réforme du lycée. Synthétisez les différents points en utilisant la nominalisation.

1. ....

2. ....

3. ....

4. ....

Parler de scolarité et de pédagogie

9. Répondez à ce questionnaire puis comparez vos réponses avec un camarade. Expliquez vos choix.

1. L'école, ça sert à ☐ connaître les savoirs de base. ☐ socialiser. ☐ s'amuser.

2. Le plus important, c'est de ☐ savoir lire. ☐ savoir écrire. ☐ savoir compter.
☐ maîtriser oralement sa langue maternelle.

3. En classe, je préfère ☐ les projets individuels. ☐ les projets collectifs.

4. La faculté qui me caractérise : ☐ l'effort. ☐ la rigueur. ☐ la mémoire.

5. Les cours magistraux sont ☐ nécessaires. ☐ ennuyeux. ☐ inutiles.

6. Le professeur doit être ☐ au centre de l'apprentissage. ☐ accompagnateur. ☐ facilitateur.

7. En classe, j'apprécie ☐ les débats. ☐ les exposés. ☐ les jeux.

8. La pédagogie que j'aime : ☐ le prof expose son savoir et je l'intègre.
☐ le prof m'aide à élaborer des raisonnements que j'applique ensuite.

9. Si j'étais professeur, j'aimerais enseigner ☐ à l'école maternelle. ☐ à l'école élémentaire. ☐ au collège.
☐ à l'université. ☐ au lycée.

10. Les grandes écoles ☐ sont élitistes. ☐ me font rêver. ☐ non merci !

Parler de l'apprentissage des langues

10. Complétez la grille de mots croisés.

① Discipline thérapeutique qui vise à soigner les troubles du langage.

② Manière dont les sons du langage sont articulés.

③ Son de la voix représenté par 19 lettres en français.

④ Quand on parle plusieurs langues.

⑤ Qui parle deux langues.

⑥ Langue qui n'est pas la langue maternelle d'une personne.

⑦ Ensemble des nuances de ton d'une voix.

⑧ Son de la voix représenté par six lettres en français.

⑨ Lorsqu'on fait un apprentissage très jeune.

⑩ La première langue apprise par l'enfant.

Nous agissons

Stratégie : Enrichir son vocabulaire

11. Observez la carte mentale du verbe « apprendre ».

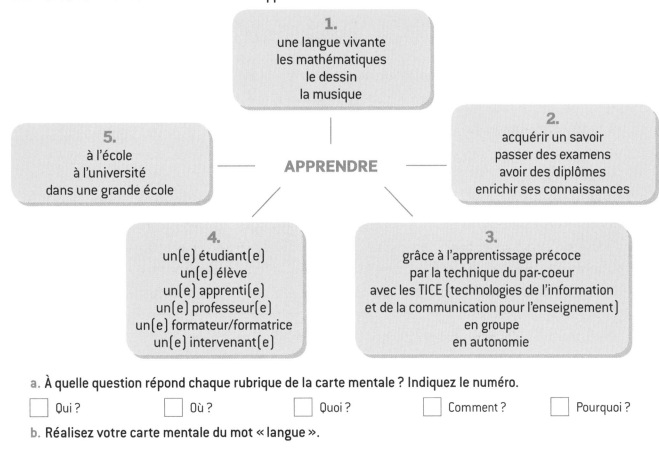

1.
une langue vivante
les mathématiques
le dessin
la musique

2.
acquérir un savoir
passer des examens
avoir des diplômes
enrichir ses connaissances

5.
à l'école
à l'université
dans une grande école

APPRENDRE

4.
un(e) étudiant(e)
un(e) élève
un(e) apprenti(e)
un(e) professeur(e)
un(e) formateur/formatrice
un(e) intervenant(e)

3.
grâce à l'apprentissage précoce
par la technique du par-coeur
avec les TICE (technologies de l'information
et de la communication pour l'enseignement)
en groupe
en autonomie

a. À quelle question répond chaque rubrique de la carte mentale ? Indiquez le numéro.

☐ Qui ?   ☐ Où ?   ☐ Quoi ?   ☐ Comment ?   ☐ Pourquoi ?

b. Réalisez votre carte mentale du mot « langue ».

Production orale

12. Lisez l'annonce de la consultation citoyenne pour la promotion de la langue française dans le monde. Participez à cet événement en proposant vos idées. Utilisez un vocabulaire varié (carte mentale de l'activité **11 b**). Enregistrez-vous.

institut-français.com

L'institut français s'est vu confier par le Président de la République l'organisation d'une consultation citoyenne et professionnelle sur la promotion de la langue française et du plurilinguisme dans le monde.
Une large consultation en ligne est lancée pour recueillir des idées et des propositions destinées à soutenir la promotion et l'apprentissage de la langue française et le développement du plurilinguisme dans le monde.
La mise en place de ce processus participatif vise à mobiliser aussi bien les citoyens français que les étrangers francophones et/ou francophiles.

Approche interculturelle

13. 🎧 ▸066 **Écoutez le témoignage d'une enseignante en linguistique informatique. Puis répondez aux questions.**

a. De quelle loi l'enseignante parle-t-elle ? Existe-t-il une loi semblable dans votre pays ?

b. Quelle est son opinion ? Que propose-t-elle ? Qu'en pensez-vous ?

c. Est-ce que sa proposition serait applicable dans votre pays ? Est-elle déjà apppliquée ?

Nous nous évaluons

⊃ Présenter une initiative éducative / Analyser des différences

1. Lisez l'article. Faites les activités. Vérifiez votre score p. 30 du livret.

---

http://journeeseuropéennesdupatrimoine.fr ☆ 🔍

info: JOURNÉES EUROPÉENNES 2018 | À LA UNE | NOS COUPS DE CŒUR | PRATIQUE | FORUM

Visite de l'école-musée des Frères Chappe à Saint-Etienne

Visite de l'école et exposition de plus de 50 œuvres d'artistes de renommée internationale réalisées devant les élèves.

Depuis trois ans, l'école publique des Frères Chappe poursuit un objectif utopique : transformer l'école en musée d'Art contemporain. Cette école primaire d'un quartier populaire stéphanois est classée zone d'éducation prioritaire et bénéficie d'aides supplémentaires du gouvernement. Elle accueille 400 élèves de la Petite section au CM2. Afin de sensibiliser les élèves à l'art, les enseignants invitent des artistes de notoriété internationale à investir les lieux pour rendre explicite le processus de création artistique. Les élèves élaborent ensemble une vraie culture artistique et puisent dans ces découvertes des inspirations pour créer à leur tour. Ces œuvres sont également un formidable support pour réfléchir, interpréter, débattre et penser le monde. Liu Bolin, Jef Aérosol, Jérôme Mesnager, Rero, Ella et Pitr, Madame Moustache, Oak Oak, Mademoiselle Maurice, Sandra Sanseverino, Erell, Cap Phi, Don Mateo, Bocse, Biancoshock, Big Ben, Bulbe… : ils sont une vingtaine à avoir investi les murs de l'école. Les créations ont toutes été réalisées sous les yeux des élèves et des enseignants. Parfois même avec leur collaboration.

« Il y a une espèce d'aller-retour entre l'apprentissage et l'art, l'art et l'apprentissage. L'art de comprendre le monde. Notre travail d'enseignants, c'est de mettre les cerveaux en mouvement, de permettre aux enfants d'être en réflexion sur les enjeux de société mais aussi sur les problèmes quotidiens qu'ils peuvent vivre en tant qu'élèves et en tant qu'enfants. Pour ça, l'art, c'est simplement un prétexte. » Jérémy Rousset, directeur, initiateur du projet.

Une école qui fait confiance à l'art pour apprendre.

Le parcours permettra aux visiteurs de découvrir une cinquantaine d'œuvres, des espaces vidéo, des expositions de travaux d'élèves. Les élèves proposeront aux visiteurs qui le souhaitent une visite guidée de l'école-musée.

---

a. Complétez le carton d'invitation de l'école des Frères Chappe.

> **INVITATION**
> ....
>
> Dans le cadre de .... ,
> l'ensemble de l'équipe éducative et les élèves vous invitent à ....
> .... Venez découvrir ....
> et ....
> Vous pourrez visiter les lieux librement ou profiter d'une ....
> .... animée par ....

b. Cochez la bonne réponse.

1. L'école des Frères Chappe est…

☐ une école maternelle.   ☐ une école primaire.   ☐ un collège.

2. Elle est située dans…

☐ un quartier riche.   ☐ un quartier défavorisé.   ☐ un quartier à la mode.

3. Elle bénéficie de moyens supplémentaires pour…

☐ encourager les enseignants à réaliser des projets.

☐ pallier des problèmes d'ordre sociaux et scolaires.

☐ tester des méthodes éducatives avant-gardistes.

c. Formulez avec vos propres mots les missions de l'enseignant selon Jerémy Rousset.

....

....

Mon score ...... /10

Comprendre un fait de société

2. 🎧 067 **Écoutez le reportage. Faites les activités. Vérifiez votre score p. 30 du livret.**

a. Parmi ces quatre livres sur le travail, cochez celui qui est en lien avec le reportage.

☐ *L'emploi est mort, vive le travail !,* de Bernard Stiegler

☐ *La révolte des premiers de la classe*, de Jean-Laurent Cassely

☐ *Bonjour paresse*, de Corinne Maier

☐ *L'absurdité d'être accro au boulot*, d'Annie Kahn

b. Complétez le profil d'Anaïs.

> **Profil d'Anaïs**
>
> Formation initiale : ....
>
> ....
>
> Poste occupé pendant trois ans et demi : ....
>
> Formation suivante : ....
>
> Poste actuel : ....

c. Vrai ou faux ? Répondez et justifiez avec un extrait de l'entretien.

1. Elle n'a jamais apprécié son premier travail.   ☐ Vrai   ☐ Faux

Justifiez : ....

2. Dans son premier travail, elle se sentait déconnectée du monde réel.   ☐ Vrai   ☐ Faux

Justifiez : ....

3. Sa formation initiale est un handicap pour son travail actuel.   ☐ Vrai   ☐ Faux

Justifiez : ....

d. Comment envisagez-vous l'évolution de ce phénomène de société ? Formulez deux probabilités avec des expressions différentes.

....

....

Mon score ...... /10

Le subjonctif pour exprimer la probabilité

3. Numérotez ces expressions de probabilité de la plus forte à la moins forte.

☐ il est improbable   ☐ il y a de grandes chances

☐ il se peut   ☐ il est bien possible

☐ il est peu probable   ☐ il se pourrait

☐ il y a de fortes chances   ☐ cela ne fait nul doute

4. Répondez à ces questions en utilisant les expressions données. Attention à l'utilisation du mode !

1. Reviendra-t-on dans le futur à des écoles sans écran ?

Il se peut que ....

Il y a de fortes chances que ....

2. La dictée fera bientôt partie du programme du bac.

Il est certain que ....

Il y a peu de chances que ....

3. La course aux diplômes est terminée.

Il est peu probable que ....

Il ne fait aucun doute que ....

5. Exprimez une probabilité plus ou moins forte sur chacun de ces sujets. Variez les expressions.

Exemple : *les études à l'étranger → Il se peut que je parte au Mexique pour terminer mes études.*

1. l'évolution de la pédagogie : ....

2. les classes à niveaux multiples : ....

3. la transformation du métier d'enseignant : ....

4. la motivation des élèves : ....

5. la perte de valeur des diplômes : ....

6. l'autodidaxie : ....

La négation *ne ... ni ... ni ...*

6. Écrivez ces phrases à la forme négative.

1. Dans notre système scolaire, nous pratiquons la dissertation et la note de synthèse.

....

2. Les élèves et le personnel éducatif sont en faveur de la réforme du lycée.

....

3. Guillaume a réussi son CAP bijoutier et a été embauché par un diamantaire.

....

4. L'un et l'autre ont été acceptés en classe prépa.

....

5. Vous êtes sérieux et rigoureux dans votre travail scolaire.

....

6. Les diplômes sont un aboutissement et un symbole de réussite sociale.

....

7. 🎧▶068 Écoutez les commentaires de personnes sur leur parcours scolaire. Complétez le tableau en indiquant si leur reformulation avec *ne ... ni ... ni ...* est possible ou non. Reformulez quand c'est possible.

	Possible	Reformulation	Impossible
Exemple	✓	À l'école, je n'ai fait ni de latin ni de grec.	
1			
2			
3			
4			
5			
6			

Nous pratiquons > MOTS ET EXPRESSIONS

> **Parler des études et du système éducatif**

8. Trouvez le mot ou l'expression manquant(e) dans chaque paire de titres de journaux.

> *Exemple : Parcoursup : quelles sont les **filières** les plus demandées par les jeunes cette année ?*
> *Études de santé : **la filière** officine boudée par les étudiants en pharmacie*

1. Les écoles d'ingénieurs peinent à s'ouvrir aux .... technologiques et professionnels.

   Martigny-les-Bains : des récompenses pour les .... ayant obtenu une mention au bac

2. L'apprentissage n'est pas une ....

   Le lycée professionnel de Cluny : une voie d'excellence, pas une ....

3. Jeune, urbain, ... La réussite assurée !

   Quand les .... déclarent la guerre au surmenage

4. Université de Savoie : ouverture d'un nouveau .... en archéologie

   Parcoursup : sélection du .... post-bac

5. Bac : la méthodologie de la .... en BD

   Conseils pour éviter le hors-sujet en ....

6. Même avec un ...., les femmes accèdent moins facilement au statut de cadre

   Studyrama : un salon pour les étudiants du bac au ....

9. Vrai ou faux ? Répondez.

1. Une CPGE est une certification du lycée professionnel. ☐ Vrai ☐ Faux

2. On peut préparer le bac professionnel ou le brevet professionnel grâce à l'apprentissage. ☐ Vrai ☐ Faux

3. Le bac technologique se prépare dans un lycée professionnel. ☐ Vrai ☐ Faux

4. On ne passe aucun examen au collège. ☐ Vrai ☐ Faux

5. Si l'on n'a pas sauté de classe ou redoublé, on passe le bac l'année de ses 18 ans. ☐ Vrai ☐ Faux

6. Pour accéder au titre d'ingénieur, il faut faire cinq ans d'études supérieures. ☐ Vrai ☐ Faux

10. Faites le quiz.

1. Combien d'années compte l'école maternelle ?

....

2. À partir de quel âge et jusqu'à quel âge l'instruction est-elle obligatoire en France ?

....

3. À quels diplômes universitaires correspondent le bac + 3 et le bac + 5 ?

....

4. À la fin de quelle classe passe-t-on le brevet des collèges ?

....

5. Quel travail présente-t-on pour valider son doctorat ?

....

6. Quelle est la première classe du lycée ?

....

7. Combien d'années comprend l'enseignement secondaire ?

....

8. Que faut-il faire pour entrer dans une grande école ?

....

9. Quelle est la condition pour entrer à l'université ?

....

10. Nommez deux diplômes du lycée professionnel.

....

> Phonétique : Adopter le ton juste

11. 🎧 ►069 Écoutez. Identifiez le ton des phrases et complétez le tableau.

	Exemple	1	2	3	4	5	6	7	8
Ton neutre									
Ton agacé									
Ton moqueur	✓								
Ton triste et découragé									

Nous agissons

> ### Stratégie : Construire une argumentation

12. Lisez ce début d'article.

> ### Peut-on se passer de l'école ?
>
> L'école est un haut lieu du savoir. Elle est une institution qui fabrique et transmet des connaissances, dans des domaines variés. Elle façonne la vision des élites qui dirigent les nations. Elle instruit, elle crée des classes sociales. L'école se pose comme un détour indispensable à toute personne ambitieuse et désireuse de se faire accepter ou de se faire une place de choix dans la société moderne. En clair, l'école apparaît comme une nécessité pour la réussite.
>
> Cependant, on a souvent vu ou entendu parler de ces personnes qui ont « réussi, sans avoir été vraiment à l'école ». On en connaît aussi qui ont été longtemps à l'école, mais qui n'ont pas « réussi ».
>
> Alors, l'école est-elle nécessaire pour réussir ? Quelle différence entre l'école et l'école de la vie ? L'école est-elle indispensable au but ultime de chacun qui est la réalisation de soi et l'atteinte de ses objectifs pour une vie meilleure ?

a. Mettez dans l'ordre les éléments structurels de l'article en les numérotant.

☐ un argument

☐ un titre

☐ un contre-argument

☐ une problématique

☐ une définition

b. Repérez les trois connecteurs logiques. Identifiez leur fonction.

.... Fonction : ....

.... Fonction : ....

.... Fonction : ....

c. Indiquez la valeur du pronom « on » dans le deuxième paragraphe.

☐ remplace le pronom « nous »   ☐ remplace « tout le monde »   ☐ signifie « personne »

> ### Production écrite

13. Vous publiez un post sur un réseau social dans lequel vous questionnez sur l'utilité des notes à l'école. Référez-vous à la structure et aux éléments identifiés dans l'activité **12** pour rédiger votre post.

> ### Approche interculturelle

14. Lisez le document paru sur un site français.

> ### Top 5 des pratiques à l'école qui nous ont traumatisées
>
> 1. Le carnet de correspondance
> 2. Les rencontres parents-professeurs
> 3. Les interro surprises
>
> 4. Les exposés
> 5. La pratique de la flûte à bec

a. Que pensez-vous de ce classement ?

b. Ces pratiques existent-elles dans votre pays ? Si oui, effraient-elles les élèves ? Pourquoi ?

c. Proposez le top 5 des pratiques traumatisantes à l'école dans votre pays et comparez avec la classe.

Nous échangeons sur des modèles éducatifs

Compréhension écrite

1 Vous lisez cet article sur un site d'information français.

Les étudiants étrangers en France affichent une satisfaction record

La France, quatrième destination pour l'accueil des étudiants internationaux, est de plus en plus appréciée par ceux qui l'ont choisie. Parmi les 14 245 étudiants issus de 161 pays interrogés par Campus France[1], 93 % se disent satisfaits de leur séjour, 88 % apprécient *« la valeur des diplômes et la qualité de l'enseignement dispensé »* dans l'Hexagone[2] et 92 % recommandent la France comme destination d'études. Des taux de satisfaction en hausse de 1 à 3 points par rapport au niveau déjà élevé des enquêtes précédentes. Pour Béatrice Khaiat, directrice générale de Campus France, ces résultats *« récompensent les efforts faits depuis plusieurs années pour améliorer l'accueil »*.

Depuis la dernière enquête il y a trois ans, la destination France a confirmé ses points forts et quelque peu amélioré ses points faibles. L'accueil reçu en France est jugé positif par 87 % des étudiants étrangers (+ 5 points), même si leur sentiment est plus mitigé quant à la cohabitation avec leurs collègues français (75 % les trouvent accueillants). Le suivi pédagogique satisfait 81 % d'entre eux (+ 6 points), et 78 % déclarent avoir des contacts réguliers avec leurs enseignants (+ 5 points).

Les motifs de déception sont toujours les mêmes et concernent notamment le coût de la vie et celui du logement, les chiffres sont toutefois plus mesurés que pour la précédente enquête. Cette relative amélioration tient en partie à l'inflation des prix dans les grandes villes étudiantes ailleurs dans le monde, qui rend la comparaison moins sévère. C'est du reste sur Paris que se concentrent les critiques, car les étudiants ayant étudié dans d'autres régions se disent satisfaits du coût de la vie et du logement à 63 %.

L'étude confirme l'importance de cette expérience d'études pour renforcer le lien des étudiants étrangers avec la France. Après leur séjour, 57 % d'anciens étudiants non francophones déclarent parler couramment le français ; et 67 % de ceux qui travaillent ailleurs déclarent avoir, au moins de temps en temps, des contacts avec le pays de Molière dans le cadre de leur activité professionnelle.

D'après www.lemonde.fr

1. Campus France : organisme responsable de l'accueil des étudiants étrangers.
2. Hexagone : nom symbolique donné à la France métropolitaine.

Répondez aux questions.

1. Qu'est-ce les étudiants étrangers apprécient le plus dans les universités françaises ?

a. Les cours.

b. Le suivi administratif.

c. La relation avec les enseignants.

2. Comment Béatrice Khaiat explique-t-elle la satisfaction croissante des étudiants ?

3. Cochez la bonne case et justifiez avec un extrait de l'article.

a. La plupart des étudiants internationaux trouvent les Français bienveillants.

☐ Vrai ☐ Faux ....

b. Les étudiants étrangers sont plus satisfaits des conditions de logement à Paris qu'en province.

☐ Vrai ☐ Faux ....

4. Selon l'article, quels liens les étudiants étrangers conservent-ils avec la France ? (Deux réponses.)

....

....

Compréhension orale

2 🎧▶070 **Vous écoutez une émission de radio française. Répondez aux questions.**

1. Quel constat peut-on faire d'après les chiffres d'Acadomia pour le soutien scolaire en France ?

....

2. Selon Jacquy, qui témoigne de Madagascar, les cours particuliers sont…

a. néfastes pour le système éducatif.

b. inutiles pour suivre les cours à l'école.

c. indispensables pour trouver un métier.

3. Quel paradoxe concernant les enseignants souligne Eugénie (Cameroun) ?

....

4. Que constate Muriel Poisson sur le développement des cours particuliers ?

....

5. Comment Philippe Coléon explique-t-il le recours aux cours particuliers en France ?

a. Les enseignants privilégient le travail en classe.

b. Les élèves doivent beaucoup travailler à la maison.

c. Les parents souhaitent que leurs enfants réussissent les examens.

Production orale

3 Un ami/une amie affirme qu'on ne peut réussir dans sa vie professionnelle sans diplôme. Vous débattez avec lui/elle de l'utilité des diplômes de nos jours, à l'aide d'exemples précis.

Production écrite

4 Vous lisez ce témoignage sur un forum de discussion. Vous répondez à Élise en lui donnant votre opinion argumentée et en la conseillant à l'aide d'exemples précis. (250 mots au minimum)

> **Élise** : Bonjour à tous, Je suis étudiante en troisième année de droit. L'université nous propose des programmes d'échange étudiants pour l'année prochaine. J'hésite à m'inscrire : est-ce que ça en vaut vraiment la peine ?
> Merci d'avance pour votre aide !

PORTFOLIO

Pour chaque affirmation, cochez une des trois cases dans la section « À l'oral » et « À l'écrit ».

:) Je le fais très bien !

:| Je peux le faire / Je comprends assez bien mais j'ai encore des difficultés

:(Je ne peux pas encore le faire / Je ne comprends pas encore.

Quand vous cochez :| ou :(, révisez la leçon et faites à nouveau les exercices.

Dossier **1**	À l'oral			À l'écrit		
	:)	:|	:(	:)	:|	:(
Je comprends…						
quand quelqu'un parle d'un phénomène de mode						
la description d'un mode alimentaire						
la description d'une tenue vestimentaire et de l'apparence						
Je peux…						
parler de l'apparence et de la tenue vestimentaire						
décrire des modes et des régimes alimentaires						
décrire un mode de vacances						
présenter et analyser une tendance						
caractériser une tendance						
introduire un texte explicatif						

Dossier **2**	À l'oral			À l'écrit		
	:)	:|	:(	:)	:|	:(
Je comprends…						
un témoignage sur le choix de la langue d'écriture						
la description d'un métier d'autrefois						
l'évocation de souvenirs d'enfance						
quand quelqu'un décrit des sensations						
des événements historiques						
le lexique de la guerre						

Je peux…						
parler du passé avec précision						
décrire un métier passé, actuel ou futur						
présenter une évolution de la société						
faire des hypothèses sur le passé						
analyser différentes manières de présenter ou de raconter l'histoire						
exprimer des sensations						
parler de la guerre						

Dossier 3	À l'oral			À l'écrit		
	🙂	😐	🙁	🙂	😐	🙁
Je comprends…						
quand quelqu'un donne son avis sur un livre						
la présentation d'une série et d'un tournage						
un débat sur le sous-titrage et le doublage						
quand quelqu'un parle du patrimoine						
un processus de création						
Je peux…						
résumer un livre						
donner mon avis sur un livre						
comparer et établir une hiérarchie						
qualifier le style ou le contenu d'un livre						
présenter un problème						
proposer des solutions						
parler du patrimoine						
parler des séries et des tournages						
adapter mon registre de langue						

Dossier **4**	À l'oral			À l'écrit		
	🙂	😐	🙁	🙂	😐	🙁
Je comprends…						
l'actualité technologique						
un billet d'opinion						
quand quelqu'un parle des risques et des dérives d'une technologie						
quand quelqu'un soulève un problème sous forme de questions						
un reportage qui présente une expérience de déconnexion						
Je peux…						
décrire et commenter une actualité technologique						
questionner les avantages et les inconvénients d'une technologie						
commenter une évolution sociétale liée aux nouvelles technologies						
formuler des questions dans un registre soutenu						
parler des nouvelles technologies et des réseaux sociaux						
développer un point de vue						
développer un raisonnement						
rédiger un billet d'opinion						

Dossier **5**	À l'oral			À l'écrit		
	🙂	😐	🙁	🙂	😐	🙁
Je comprends…						
l'analyse d'un enjeu de société						
des commentaires sur un phénomène de société						
quand quelqu'un prend position dans un débat						
le lexique de la santé						
le lexique de la politique						
le lexique des émotions et des sentiments						

Dossier 5	À l'oral			À l'écrit		
	🙂	😐	🙁	🙂	😐	🙁
Je peux…						
analyser un enjeu de société						
prendre position et exprimer une opinion sur un fait de société						
parler de la santé						
décrire et comparer des faits culturels et politiques						
nuancer une comparaison						
nuancer une opinion						
parler des institutions et de la politique						
parler des émotions et des sentiments						

Dossier 6	À l'oral			À l'écrit		
	🙂	😐	🙁	🙂	😐	🙁
Je comprends…						
la présentation d'un nouveau type d'économie						
une explication des problèmes liés à la biodiversité						
quand quelqu'un parle d'une action citoyenne						
un texte provocateur sur la publicité et le marketing						
Je peux…						
exprimer une condition						
atténuer une affirmation						
exprimer des faits hypothétiques ou probables						
parler d'économie et de finance						
faire des recommandations						
parler de la publicité						
parler de la solidarité						

Dossier 7	À l'oral			À l'écrit		
	😊	😐	🙁	😊	😐	🙁
Je comprends…						
des pratiques professionnelles différentes						
quand quelqu'un présente son parcours						
la description de compétences professionnelles						
la présentation d'un métier						
la communication professionnelle						
le registre soutenu						
le registre familier						
quelques figures de style						
Je peux…						
présenter mon parcours						
expliquer un choix de vie						
décrire des compétences professionnelles						
rapporter les paroles de quelqu'un						
communiquer en contexte professionnel						
argumenter mon point de vue						
nuancer mon point de vue						

Dossier **8**	À l'oral			À l'écrit		
	🙂	😐	🙁	🙂	😐	🙁
Je comprends…						
quand quelqu'un présente des objectifs à atteindre dans le domaine de l'éducation						
la présentation d'expériences éducatives novatrices et d'initiatives éducatives						
des explications sur l'apprentissage des langues						
les nuances d'une opinion						
Je peux…						
présenter le modèle éducatif de mon pays						
parler du système éducatif						
parler de l'apprentissage des langues						
présenter une initiative éducative						
exprimer un souhait et un but						
synthétiser et mettre en valeur des informations						
exprimer une probabilité						

DELF

Exercice 1   18 points

Vous allez entendre **deux fois** un enregistrement de 5 minutes environ. Vous avez tout d'abord 1 minute pour lire les questions. Puis vous écoutez une première fois l'enregistrement. Vous avez ensuite 3 minutes pour répondre aux questions. Vous écoutez une seconde fois l'enregistrement.
Vous avez encore 5 minutes pour compléter vos réponses.

Pour répondre aux questions, cochez (☒) la bonne réponse ou écrivez l'information demandée.

🎧 ▶071 **Lisez les questions, écoutez le document puis répondez.**

1. L'initiative décrite dans l'émission concerne un logement…   (1 point)
   - **A.** ☐ associatif.
   - **B.** ☐ collaboratif.
   - **C.** ☐ en colocation.

2. Qu'est-ce qui permet de contrôler cette initiative ?   (1 point)

3. Quels sont les deux prérequis pour pouvoir profiter de cette initiative ?   (2 points)

4. Le projet est à la fois immobilier et…   (1 point)
   - **A.** ☐ social.
   - **B.** ☐ éducatif.
   - **C.** ☐ écologique.

5. Quelle est la tendance en France concernant cette initiative ?   (1 point)

6. Que propose l'entreprise « Ô Fil des voisins » ?   (2 points)

7. Dans le cadre de son travail, Siham Laux doit convaincre…   (1 point)
   - **A.** ☐ les services de la ville.
   - **B.** ☐ les organismes bancaires.
   - **C.** ☐ les syndicats de copropriété.

8. Quelles sont les trois motivations données par Siham Laux pour intégrer ce type de logement ?   (1,5 point)

9. Donnez deux exemples de ce qui peut être mutualisé, d'après l'émission.   (2 points)

10. Quelles sont les valeurs prônées par « Ô Fil des voisins » ?
    (Plusieurs réponses possibles, deux attendues.)   (2 points)

11. D'après Siham Laux, dans le cadre de ce projet, des services de… 〔1 point〕

    A. ☐ ménage

    B. ☐ jardinage   peuvent être échangés.

    C. ☐ garde d'enfants

12. Selon Siam Laux, quels éléments doivent être discutés en amont du projet ? 〔1 point〕

    A. ☐ Le montant du loyer.

    B. ☐ Les démarches administratives.

    C. ☐ Le partage des moments de vie.

13. En quoi l'exemple de projet décrit par Siham Laux est-il particulièrement intéressant ? 〔1,5 point〕

....

Exercice 2 〔7 points〕

Vous allez entendre **une seule fois** un enregistrement de 1 minute 30 à 2 minutes.

Vous avez tout d'abord 1 minute pour lire les questions.

Après l'enregistrement, vous avez 3 minutes pour répondre aux questions.

Pour répondre aux questions, cochez (☒) la bonne réponse ou écrivez l'information demandée.

🎧 H072 **Lisez les questions, écoutez le document puis répondez.**

1. Quelle est la thématique de l'émission ? 〔1 point〕

    A. ☐ La formation professionnelle.

    B. ☐ Les entretiens professionnels.

    C. ☐ La reconversion professionnelle.

2. Selon Philippe, qu'est-ce qui prouve que cette thématique intéresse les auditeurs ? 〔1 point〕

....

3. Quelle est la particularité de l'application « testunmetier.com » ? 〔1 point〕

....

4. Quel paradoxe souligne Carine Celnik ? 〔1 point〕

....

5. Les questions à se poser lorsque l'on recherche un métier concernent… 〔1 point〕

    A. ☐ le salaire.

    B. ☐ la formation.

    C. ☐ les compétences.

6. L'initiative présentée par Carine Celnik concerne par exemple le secteur de… 〔1 point〕

    A. ☐ l'hôtellerie.

    B. ☐ l'immobilier.

    C. ☐ la construction.

7. Qui prend en charge ce projet financièrement ? 〔1 point〕

    A. ☐ L'individu.

    B. ☐ L'entreprise.

    C. ☐ Le site testunmetier.

Pour répondre aux questions, cochez la bonne réponse ou écrivez l'information demandée.

Exercice 1   13 points

Le bio, victime de son succès

Malgré l'appétit croissant des consommateurs pour les produits naturels sans pesticides ni engrais, les menaces qui pèsent sur le marché de l'agriculture biologique n'ont jamais été si nombreuses. Entre la grande distribution qui a décidé de se mettre massivement au bio au risque de faire chuter les prix, la remise en question de certaines aides publiques ou encore la crainte d'une perte de valeur du bio en tant que philosophie de production et de consommation, les sujets d'inquiétude se multiplient.

Parmi les principaux risques mis en avant: l'incapacité de la production française à répondre à la croissance de la demande et le risque de voir les importations de produits bio augmenter, contrairement aux valeurs d'une production locale et socialement responsable... À la tête du réseau spécialisé Biocoop, Claude Gruffat estime par exemple qu'il faudrait 60 000 producteurs de proximité supplémentaires dans les cinq prochaines années pour répondre à l'appétit croissant des consommateurs. «En dehors de quelques produits spécifiques, on ne peut pas parler d'un réel problème de pénurie en France. Ce qui est sûr, en revanche, c'est que le marché, qui progresse de 15% par an, pourrait afficher une croissance bien plus importante», nuance Florent Guhl, de l'agence Bio. À l'évocation de ces chiffres, en tout cas, on ne peut s'empêcher de s'interroger. Pourquoi la France n'a-t-elle pas plus développé son agriculture biologique? Aujourd'hui, seuls 37 000 agriculteurs ont sauté le pas, ce qui correspond à 6,5% seulement de la surface agricole utile. Or toutes les études le confirment: l'agriculture bio a beau être moins productive, elle est plus rémunératrice que l'agriculture conventionnelle. Exemple avec Pierre-Luc Pavageau, producteur de lait bio, qui a augmenté ses revenus de 30% depuis sa conversion à l'agriculture biologique et a pu créer un emploi supplémentaire.

En réalité, les explications sont multiples. «Contrairement à l'Autriche ou à l'Allemagne, qui ont mis en place une véritable politique en faveur du bio, la France a toujours privilégié l'agriculture conventionnelle par les aides à l'hectare ou au rendement. Résultat, le marché s'est construit uniquement grâce à la demande», explique Harold Levrel, professeur à AgroParisTech.

Et puis, comme le souligne Stéphanie Pageot, présidente de la Fédération nationale d'agriculture biologique, «le temps du marketing n'est pas celui de l'agriculture bio, basé sur le cycle naturel, l'agronomie, la connaissance du vivant». Pour «convertir» une exploitation, il faut entre deux et trois ans. Un temps long qui rend difficile l'adéquation de l'offre avec la demande. «Malgré la vivacité de la demande, les agriculteurs veulent être sûrs qu'il ne s'agit pas d'un effet de mode», estime Florent Guhl. De fait, même si les mentalités changent peu à peu, le bio est encore souvent considéré par la profession comme une tendance pour les bobos* plutôt que comme un savoir-faire écologiquement responsable. «Cela se traduit aussi du côté de l'enseignement et de la recherche. Alors que le bio existe en France depuis les années 1950, les formations spécialisées dans les lycées agricoles commencent tout juste à se développer», souligne de son côté Harold Levrel.

Alors comment démocratiser le bio sans le rabaisser? «Soyons au moins vigilants à ne pas reproduire les erreurs du passé: le bio a un prix, le consommateur doit accepter de le payer», conclut Pierre-Luc Pavageau.

D'après www.lexpress.fr

*bobos: «bourgeois bohèmes», personnes généralement éduquées, avec un salaire confortable, qui profitent des opportunités culturelles.

Répondez aux questions.

1. Quel paradoxe concernant le marché du bio est présenté dans l'article ?
1,5 point

....

2. Selon l'article, quels sont les risques majeurs liés au marché du bio ?
2 points

....

3. Vrai ou faux ? Cochez la bonne réponse et recopiez la phrase ou la partie du texte
qui justifie votre réponse.
1,5 point

Selon Florent Guhl, il faudrait augmenter le nombre de producteurs locaux
pour faire face à la demande du consommateur. ☐ Vrai ☐ Faux

....

4. La journaliste constate que l'agriculture biologique en France…
1 point

    A. ☐ est en plein essor.

    B. ☐ est peu développée.

    C. ☐ connaît une croissance modérée.

Vrai ou faux ? Pour chacune des affirmations suivantes, cochez la bonne réponse et recopiez la phrase
ou la partie du texte qui justifie votre réponse.

5. L'agriculture traditionnelle est la méthode la plus rentable. ☐ Vrai ☐ Faux *1,5 point*

....

6. La politique française a su s'adapter à l'agriculture biologique. ☐ Vrai ☐ Faux *1,5 point*

....

7. D'après Stéphanie Pageot, en quoi le marketing et l'agriculture biologique
sont-ils peu compatibles ?
1 point

....

8. Les agriculteurs qui hésitent à se lancer dans le marché du bio ont peur…
1 point

    A. ☐ de disposer d'un budget restreint.

    B. ☐ de cesser d'utiliser des pesticides.

    C. ☐ de s'investir pour une tendance passagère.

9. Selon Harold Lavrel, les parcours éducatifs concernant l'agriculture biologique…
1 point

    A. ☐ sont inexistants.

    B. ☐ restent à développer.

    C. ☐ sont diffusés depuis longtemps.

10. Comment expliquez-vous la conclusion de Pierre-Luc Pavageau : « le bio a un prix,
le consommateur doit accepter de le payer » ?
1 point

....

Pour son bien, il faut laisser son enfant s'ennuyer

On est souvent à court d'idées pour occuper son enfant pendant notre temps libre ou les vacances. Tant mieux. Profitons-en pour le laisser s'ennuyer, une «activité» essentielle à son bon développement, selon la professeure émérite de psychologie de l'éducation Claire Leconte. «Nous vivons dans une société où il faut toujours être occupé pour prouver que l'on est "au top". Nous ne pouvons plus nous permettre de "perdre du temps", et c'est une idée que l'on inculque – parfois inconsciemment – à nos enfants. Par crainte qu'ils s'ennuient, on va les inscrire à une multitude d'activités et les occuper en permanence, y compris avec des écrans qui font office de nounou. Des parents s'achètent ainsi une certaine paix. C'est un constat que je fais tous les jours. La dernière fois que je me suis rendue dans une école maternelle, j'ai demandé aux enfants présents combien parmi eux avaient une télévision dans leur chambre. Les trois quarts ont répondu favorablement, et je parle d'enfants d'à peine cinq ans! Les parents ne sont pas les seuls à blâmer. Dès l'école, les petits sont gavés d'activités et n'ont plus l'habitude d'avoir des distractions simples, comme jouer à la marelle[1] ou rêvasser[2]. Or, ils ont besoin de ces temps pour se poser et souffler. J'observe de plus en plus d'enfants énervés et fatigués. Une hyperactivité liée sans aucun doute à la sollicitation permanente dans laquelle ils vivent.» Les risques d'une telle sollicitation sont multiples. D'une part, l'enfant ne saura pas s'occuper par lui-même ni prendre une décision, il aura toujours besoin d'être entouré. D'autre part, un enfant qui n'apprend pas à réfléchir par lui-même ne se posera jamais la question de savoir ce qu'il aime vraiment faire.

Selon la spécialiste, «on a trop souvent tendance à penser que l'ennui est un sentiment péjoratif, lié à la lassitude, à l'inaction. Pourtant, ne rien faire est une activité à part entière!» L'ennui est ainsi indispensable, notamment pour le bon développement des enfants. Dans un premier temps, les enfants se construisent par imitation. Ils reproduisent les gestes qu'ils voient, répètent des mots qu'ils entendent ou des attitudes qu'ils perçoivent. Puis peu à peu, le cerveau va se développer en prêtant attention à l'environnement extérieur. Il ne faut donc surtout pas empêcher les enfants de prendre des moments pour eux afin qu'ils aient le temps d'observer ce monde qui les entoure. «C'est la preuve d'une vie interne, car c'est l'occasion pour l'enfant de faire travailler son imaginaire, et surtout que l'enfant peut s'intéresser à des choses par lui-même, ce qui est absolument fondamental. Plus il sera attentif à son environnement et aux autres, plus il sera respectueux à leur égard», insiste Claire Leconte.

Ainsi, un enfant qui aura pris l'habitude de rester seul trouvera toujours le moyen de s'occuper, ce qui est bénéfique pour lui mais aussi pour ses parents. Selon la spécialiste, il ne faut pas oublier qu'un enfant ne s'ennuie pas, ce sont ses parents qui ont peur qu'il s'ennuie. Et si l'enfant l'exprime, c'est parce qu'il sait que ses parents vont lui donner un écran pour combler ce «vide». Si ces derniers lui font comprendre que ce moment est pour lui et qu'il peut le prendre pour réfléchir et rêvasser, alors il cessera de se plaindre.

D'après www.madame.lefigaro.fr

1. Marelle : jeu d'enfant consistant à sauter dans les cases numérotées d'une figure tracée sur le sol.
2. Rêvasser : laisser aller sa pensée, son imagination.

Répondez aux questions.

1. Quel est le constat de Claire Leconte concernant le rythme de la société contemporaine ? *1,5 point*

....

2. Selon Claire Leconte, quel rôle les écrans jouent-ils souvent ? *1 point*

....

3. Vrai ou faux ? Cochez la bonne réponse et recopiez la phrase ou la partie du texte
   qui justifie votre réponse.

Claire Leconte a été surprise de l'exposition des enfants
aux postes de télévision. ☐ Vrai ☐ Faux *1,5 point*

....

4. Vrai ou faux ? Cochez la bonne réponse et recopiez la phrase ou la partie du texte
   qui justifie votre réponse.

D'après Claire Leconte, les parents sont responsables
de la situation actuelle. ☐ Vrai ☐ Faux *1,5 point*

....

5. Selon la spécialiste, les enfants trop sollicités… *1 point*
   A. ☐ manquent d'autonomie.
   B. ☐ se renferment sur eux-mêmes.
   C. ☐ refusent d'effectuer certaines activités.

6. Vrai ou faux ? Cochez la bonne réponse et recopiez la phrase ou la partie du texte
   qui justifie votre réponse. *1,5 point*

Claire Leconte considère que s'ennuyer signifie être inactif. ☐ Vrai ☐ Faux

....

7. D'après la journaliste, il est important de laisser les enfants s'ennuyer pour… *1 point*
   A. ☐ imiter les adultes.
   B. ☐ savoir ce qu'ils veulent.
   C. ☐ découvrir leur environnement.

8. Selon l'article, quel peut être l'intérêt pour les parents de laisser leurs enfants s'ennuyer ? *1 point*
   A. ☐ Les parents peuvent se reposer.
   B. ☐ Les enfants arrivent à s'occuper seuls.
   C. ☐ Le budget pour les activités est réduit.

9. D'après la spécialiste, en quoi le terme « ennui » est-il peu adapté pour les enfants ? *1 point*

....

10. Comment les parents peuvent-ils faire comprendre aux enfants
    qu'il est important d'avoir des moments à ne rien faire ? *1 point*

....

III Production écrite

25 points

Vous entendez parler d'un projet de construction d'un grand centre commercial dans votre ville.
Vous écrivez une lettre au maire dans laquelle vous exprimez votre opinion argumentée sur le sujet et
décrivez les conséquences que cette construction peut avoir sur l'environnement et sur l'activité de la ville.
(250 mots au minimum)

IV Production orale

25 points

Exercice 1 : Monologue suivi : défense d'un point de vue argumenté

5 à 7 minutes

Vous dégagerez le problème soulevé par le document que vous avez choisi puis vous présenterez
votre opinion sur le sujet de manière claire et argumentée.

Exercice 2 : Exercice en interaction : débat

10 à 15 minutes

Vous défendrez votre point de vue au cours du débat avec l'examinateur.

SUJET 1

> ### « Déshumanisé » ou « pratique » ?
> ### Un nouveau bar robotisé divise les internautes
>
> Un bar dans la ville de Strasbourg, en France, propose au public de se faire préparer et
> servir ses cocktails par des robots. « Comptez en moyenne 60 secondes pour la boisson la
> plus simple », explique Lucas Marson, représentant du Bionic bar. L'idée fait polémique. Sur
> les réseaux sociaux, l'opération suscite un certain scepticisme. Certains craignent en effet
> de perdre le contact avec leur barman. « Le contact humain est essentiel surtout à une
> époque où la technologie nous sépare », témoigne Franny, en réponse à notre appel à
> témoignages. À l'inverse, un autre internaute y voit « une alternative intéressante dans le
> cadre d'un concert ou d'un festival, quand c'est la cohue ».
> « Le robot ne peut pas se suffire à lui-même », avance Lucas Marson. Il assure que des
> hôtes et des hôtesses seront de la partie pour accueillir la clientèle. Et invite le public
> à se faire son avis par soi-même. Et vous, qu'en pensez-vous ?
>
> D'après *20 Minutes*

SUJET 2

> ### Un apiculteur envoie 60 000 lettres remplies de graines de trèfles
> ### pour sauver les abeilles
>
> Face à l'hécatombe[1] des abeilles en raison, notamment, du réchauffement climatique,
> Nicolas Puech, un apiculteur[2] de la région française de Haute-Garonne, s'est lancé un défi :
> pour aider les abeilles, envoyer des graines de trèfles à tous ceux qui lui en feraient la
> demande. Trois mois après, l'opération est une réussite. L'apiculteur a reçu 60 000
> demandes ! Il a donc dû poster 60 000 lettres dans toute France, mais aussi en Europe, en
> Afrique et en Amérique du Nord. 40 000 courriers ont été triés en un seul week-end, grâce
> à des bénévoles. « Des bénévoles m'ont dit qu'ils avaient hésité entre faire une manifestation
> pour le climat et venir mettre sous pli les lettres pour les abeilles, raconte l'apiculteur. Ils
> ont choisi de venir ici parce que pour eux c'était plus concret. Ça fait plaisir de voir que les
> gens se sentent concernés. »
> Nicolas Puech affirme vouloir aller encore plus loin. L'apiculteur compte lancer un
> concours dans les écoles pour sensibiliser les plus jeunes à l'écologie.
>
> D'après www.nouvelobs.com
>
> 1. hécatombe : mort massive.
> 2. apiculteur : éleveur d'abeilles.

Achevé d'imprimer en Février 2020 en Italie par L.E.G.O. S.p.A. Lavis
Dépôt légal : Juin 2019 - Édition 03
30/5663/6